REALIEN ZUR LITERATUR

ABT. E:

POETIK

ERWIN LEIBFRIED

Fabel

4., durchgesehene und
ergänzte Auflage

ERSCHIENEN IM DREIHUNDERTSTEN JAHR DER
J. B. METZLERSCHEN VERLAGSBUCHHANDLUNG
STUTTGART

1. Aufl. 1967 (1.–5. Tsd.)
2. Aufl. 1973 (6.–10. Tsd.)
3. Aufl. 1976 (11.–15. Tsd.)
4. Aufl. 1982 (16.–20. Tsd.)

CIP-Kurztitelaufnahme der Deutschen Bibliothek

Leibfried, Erwin:
Fabel / Erwin Leibfried. – 4., durchges. u. erg. Aufl.,
(16.–20. Tsd.). – Stuttgart: Metzler, 1982.
  (Sammlung Metzler; M 66: Abt. E, Poetik)
  ISBN 3-476-14066-0

NE: GT

ISBN 3 476 14066 0

M 66

Immer
meinen Eltern
in Dankbarkeit

INHALT

Die Fabel, immer wieder, auch m. E. in diesem Band, für tot erklärt, lebt auf vielen Ebenen weiter: neue werden geschrieben, historische und theoretische Versuche über sie angestellt, die didaktische Funktionalisierung ist ungebrochen.

Die gegenwärtige Auflage versucht weitere Verbesserungen im Kleinen, will die Anregungen der Rezensenten, der brieflichen und mündlichen Bemerkungen von Freunden und Kollegen beachten, trägt die neuere Literatur nach.

Bernd-Ulrich Dietz danke ich für die Mithilfe bei der Bearbeitung.

E. L.

ADB	Allgemeine Deutsche Biographie
AfdA	Anzeiger für deutsches Altertum
afr.	altfranzösisch
Alemannia	Alemannia. Zeitschrift für alemannische und fränkische Geschichte, Volkskunde und Sprache
Bd, Bde	Band, Bände
BLVS	Bibliothek des literarischen Vereins in Stuttgart
DNL	Deutsche National-Litteratur, hrsg. von J. Kürschner
DU	Der Deutschunterricht
DVjs	Deutsche Vierteljahrsschrift für Literaturwissenschaft und Geistesgeschichte
ebda	ebenda
FFC	Finnish Folklore Communications, Helsinki
Goedeke	Grundriß zur Geschichte der deutschen Dichtung, aus den Quellen von K. Goedecke. I = Bd 1, Das Mittelalter, ²1884; II = Bd 2, Das Reformationszeitalter, ²1886; III = Bd 3, Barock und Aufklärung, ²1887; IV, 1 = Bd 4, 1 Vom siebenjährigen bis zum Weltkriege, ³1907.
GRM	Germanisch-Romanische Monatsschrift
hrsg.	herausgegeben
idg.	indogermanisch
JEGPh	The Journal of English and Germanic Philology
lat.	lateinisch
ma., MA	mittelalterlich, Mittelalter
RE	Real-Enzyclopädie der classischen Altertumswissenschaft
RL	Reallexikon der deutschen Literaturgeschichte. Begründet von P. Merker u. W. Stammler. 2. Aufl. neu bearbeitet [...] und hrsg. von W. Kohlschmidt u. W. Mohr, 1955ff.
S.	Seite
Sp.	Spalte
Verf. Lex.	Die deutsche Literatur des Mittelalters. Verfasserlexikon, Bd 1–5, 1933–1955, 2. Aufl. Bd 1, 1978; Bd 2, 1980.
vgl.	vergleiche
W.A.	Weimarer Ausgabe
WB	Weimarer Beiträge
ZfdA	Zeitschrift für deutsches Altertum
ZfdPh	Zeitschrift für deutsche Philologie
ZfdU	Zeitschrift für deutschen Unterricht
Ztschr.	Zeitschrift

Das Wort ›Fabel‹ geht auf lat. ›fabula‹ zurück; dieses ist mit ›fari‹ »sprechen«, aber auch mit ›fateri‹ »bekennen« verwandt. Auch das Wort ›fama‹ »Gerücht« ist von der idg. Wurzel ›bha-‹ »sprechen« abzuleiten. Über das afr. ›fable‹ im Sinne von »Märchen, Erzählung, unwahre Geschichte« gelangt das Wort zu Beginn des 13. Jhs. ins Mittelhochdeutsche. Frühe Belege findet man im ›Rolandslied‹ (favelîe), bei Gottfried von Straßburg (›Tristan und Isold‹, v. 18463, hrsg. v. Fr. Ranke) und in der ›Krone‹ Heinrichs von dem Türlin (v. 2004). Als Bezeichnung für die Gattung, soweit man von einem ausgebildeten Bewußtsein für die Form sprechen kann, wird um diese Zeit noch ›bîschaft‹, ›bîspel‹ gebraucht (vgl. de Boor). Seit 1515 ist auch ›fabulieren‹ im Sinne von »phantasiereich erzählen« belegt. Erst bei den Humanisten (Steinhöwel) und dann besonders im 18. Jahrhundert kristallisiert sich allmählich ein festerer Begriff heraus. Seit dem 18. Jh. wendet man das Wort ›Fabel‹ als Gattungsbezeichnung nurmehr auf die Form einer Erzählung an, in der Tiere, Pflanzen oder Dinge eine führende Rolle spielen und in der eine bestimmte Lehre verdeutlicht werden soll.

Daneben bezeichnet ›Fabel‹ als literaturwissenschaftlicher Begriff den »thematisch-stofflichen Grundplan im Handlungsverlauf einer epischen oder dramatischen Dichtung, der bereits die Zentralmotive aufzeigt« (von Wilpert, Sachwörterbuch der Literatur, ⁶1979, S. 172). Dieser Sinn hat nichts mit der Verwendung des Wortes als Gattungsbezeichnung zu tun.

Literatur:

Zum Begriff ›Fabel‹ vgl. die einschlägigen Literatur-Lexika; sie sind aufgeführt bei P. *Raabe*: Einführung in die Bücherkunde zur deutschen Literaturwissenschaft. ⁹1980, bes. S. 37 ff. (Sammlung Metzler 1); dann: Die Religion in Geschichte und Gegenwart, Bd. 2, ³1958, Sp. 851–854 (G. Fohrer).
Ferner die Poetiken, z. B.:
Baumgarten, A. G.: Aesthetica, Traiecti cis Viadrum, 1750. (Fabel: § 526–538, S. 339–346).
Baumgart, H.: Handbuch der Poetik, 1887 (Fabel: S. 154–179.)
Beyer, C.: Deutsche Poetik, Bd 2, ²1887. (Fabel: § 79, S. 160–167).
In den neueren poetologischen Darstellungen (Ermatinger, Walzel, Kayser, Martini, Staiger) wird die Fabel nicht behandelt; vgl. jedoch B. *Markwardt*, Geschichte der dt. Poetik, I, ²1958, S. 79, 84, 152 f., 158, 245, 270, 387, 396; II, ²1970, S. 57 f., 115, 120, 143, 154 ff., 487, 519 ff.; III, 1958, S. 68 f.

Zur Wortgeschichte:

Sanders, D.: Wörterbuch der dt. Sprache, Bd I, 1860, S. 382f. (auch verwandte Wörter).

Grimm, Jacob und Wilhelm: Deutsches Wörterbuch, Bd 3, 1862, Sp. 1213 (mit verwandten Wörtern bis Sp. 1218).

Trübners Deutsches Wörterbuch, Bd 2. 1940, S. 269.

Kluge, Fr.: Etymologisches Wörterbuch der dt. Sprache, [20]1967, bearb. v. W. Mitzka, S. 178.

Briegel-Florig, W.: Geschichte der Fabelforschung in Deutschland, Diss. Freiburg i.Br. 1965, S. 3–12, 18–21.

De Boor, H.: Über Fabel und Bîspel. Vortrag, in: Sitzungsberichte d. Bayer. Akademie d. Wiss., Philos.-histor. Klasse, 1966, H. 1.

Zu den Bedeutungen im Lateinischen und zu den griechischen Entsprechungen vgl. den Art. »Fabel« von A. *Hausrath* in: RE, Reihe I, Halbbd. 12. 1909, Sp. 1704–1736, und den Art. ›Phaedrus‹, Reihe I, Halbbd. 38. 1938, Sp. 1475–1505.

I. Versuche deskriptiv-theoretischer Wesenserhellung

Nicht wenig tragen zur Erhellung der überdauernden Konstanten, die als ein Ziel der Poetik einer Gattung anzusehen sind, die theoretischen Abhandlungen zur Fabel bei. Dichtung und Theorie stehen gerade hier in einem Wechselverhältnis und beeinflussen sich gegenseitig.

Heinrich *Steinhöwel* (1412–1478) ist einer der ersten Deutschsprachigen, der sich zur Fabel geäußert hat. Er vermeidet dabei weitgehend theoretische Festlegungen und beschränkt sich auf durch Beschreibung faßbare Einzelheiten. Aus dem Vorwort seiner Übersetzung des ›Romulus‹ (einer Fabelsammlung in lat. Prosa, 400 n. Chr.) lassen sich fünf Gesichtspunkte entnehmen, die für ihn zur Fabel gehören (wobei er sich der Kriterien des Horaz bedient): die Fabel muß erfreuen (»lustig syent ze hören«), sie muß belehren (»sich dar uß zu beßern«), sie schildert nur erdichtete Fälle (»fabel synt nit geschehene ding, sondern allain mit worten erdichtete ding«). Der Fabeldichter läßt ferner nicht-menschliche Figuren (Lebewesen und Dinge, »die nit empfindende sel hant«) so handeln, als seien sie Menschen; er anthropomorphisiert also seine Umwelt. Deshalb gelingt es ihm auch, obwohl er Tiere handeln läßt, die Welt so zu beschreiben, wie sie für den Menschen aussieht (»die sitten der menschen und ihr wesen beschrybent«; alles S. 5).

Martin *Luther* (1483–1546), der sonst Steinhöwel ablehnend gegenübersteht, stimmt im letzten Punkt mit ihm überein: auch er will »die Warheit [. . .] sagen von eusserlichem Leben in der Welt« (S. 82). Daß die Fabel hierzu besonders geeignet war, daß sie sich wirksam an alle Stände richtete, erhellt aus der Bemerkung: »Nicht allein aber die Kinder / sondern auch die grossen Fuersten und Herrn / kan man nicht bas betriegen / zur Warheit / und zu irem nutz / denn das man inen lasse die Narren die Warheit sagen / dieselbigen koennen sie leiden und hoerren / sonst woellen oder koennen sie / von keinem Weisen die Warheit leiden« (S. 84). Neben diesem Einfluß auf die »großen Herren« wirkt die Fabel auch auf das gemeine Volk: »Und das ich ein Exempel gebe der Fabeln wol zu gebrauchen / Wenn ein Hausvater uber Tisch wil Kurtzweil haben / die nuetzlich ist / kan er sein Weib / Kind / Gesind fragen / Was bedeutet diese oder diese Fabel?« (S. 86). Luther formuliert damit als erster die pädagogische Wirksamkeit der Tiererzählung nicht nur im Hinblick auf die Erlernung der lateinischen Sprache (wozu die Fabeltexte in den mittelalterlichen Schulen dienten). Später hat Lessing eine andere pädagogische Anwendung der Fabel empfohlen (vgl. seine fünfte Abhandlung zur Fabel, s. S. 86 d. Bd.).

Luther weiß, daß theoretische Anweisungen zum Richtigen, besonders zum ethisch Richtigen, weniger überzeugen als anschauliche Geschichten, die dem falsch Handelnden Schaden bringen. Er stellt die Fabel bewußt in den Dienst seiner ethisch-moralischen oder lebensklugen Absichten. Die Fabel ist eindeutig Tendenzliteratur: sie demonstriert etwas. Der Sinn der Erzählung – sie wird präzise und prosaisch gefaßt – besteht nur in der Eignung, Modell zu sein für einen moralischen oder auch lebensklugen Lehrsatz.

Johann Christoph *Gottsched* (1700–1766) bringt im Hinblick auf eine Poetik nichts wesentlich Neues. Er reduziert die Fabel ganz auf die Lehre und übersieht die lebendige Darstellung von Welt, die bei Steinhöwel und auch bei Luther trotz aller Belehrung vorhanden war. Er meint: »Ich glaube [. . .] eine Fabel am besten zu beschreiben, wenn ich sage: sie sey die Erzählung einer unter gewissen Umständen möglichen, aber nicht wirklich vorgefallenen Begebenheit, darunter eine nützliche moralische Wahrheit verborgen liegt« (S. 150). In den Attributen ›nützlich, moralisch‹ stecken typische Maximen der bürgerlichen Aufklärung. Formal war die Grundfrage in bezug auf die Fabel die, wie es möglich sei, daß ein Tier rede oder überhaupt wie ein Mensch handeln könne; die Antwort lautet: weil man sich ein redendes Tier vorstellen kann, weil man es denken kann.

Gottscheds Vorstellung von der Fabel ist allegorisch, wie seine Anleitung zur Verfertigung von Fabeln zeigt: »Zu allererst wähle man sich einen lehrreichen moralischen Satz, der in dem ganzen Gedichte zum Grunde liegen soll, nach Beschaffenheit der Absichten, die man sich zu erlangen, vorgenommen. Hierzu ersinne man sich eine ganz allgemeine Begebenheit, worinn eine Handlung vorkömmt, daran dieser erwählte Lehrsatz sehr augenscheinlich in die Sinne fällt« (S. 161). Die Fabel wird konstruiert. Ein bestimmter Satz soll verdeutlicht werden; das Mittel dazu ist die Verbildlichung. Die Aufgabe heißt: für einen theoretischen Satz eine bildliche Ausschmückung finden. Das Ergebnis ist allegorische Dichtung.

Johann Jacob *Breitinger* (1701–1776) verbreitert die Basis der Fabel wieder; er sieht auch das Poetische: das »Wunderbare« wird als notwendig erkannt. Er erklärt es aus dem Wunsch, die Erzählung »durch die Neuheit und Seltsamkeit der Vorstellung wunderbar zu machen« (S. 183); die Fabel ist »ein lehrreiches Wunderbare« (S. 194). Das Außergewöhnliche, das Unwahrscheinliche gehört für ihn wesentlich zur Fabel. Daneben betont er allerdings auch den allegorischen Charakter, denn sie ist »eine unter der wohlgerathenen Allegorie einer ähnlichen Handlung verkleidete Lehre und Unterweisung« (S. 194).

Johann Jacob *Bodmer* (1698–1783) hat sich in einer Vorrede zu Meyers von Knonau Fabeln theoretisch geäußert. Er fordert Beobachtung der Natur, des Lebens der Tiere und daß man, »was man darinnen sonderbares wahrnimmt, also fort in eine Fabel verarbeitet, indem man den Lehrsatz, der schon darinnen liegt, daraus hervorholet« (Staege, S. 29). Bodmer geht den umgekehrten Weg wie Gottsched: am Anfang soll das Erlebnis stehen, aus ihm wird ein immanenter Wahrheitsgehalt hervorgehoben und abstrakt formuliert. Bodmer wendet sich besonders gegen Dichter wie Daniel Stoppe, der eine Viertelstunde – personifiziert – reden ließ.

Christian Fürchtegott *Gellert* (1715–1769) hält sich in seiner Habilitationsschrift über die Fabelliteratur und ihre Dichter an La Motte und Breitinger. Wo die Lehre steht, ob am Anfang oder am Schluß, ob die Fabel kurz oder lang ist, hält er für unwichtig. Seine Stärke war nicht die theoretische Erwägung, sondern die Würdigung des Einzelwerkes; stilistische Feinheit, Klarheit in Handlung und Lehre sind ihm das Wichtigste.

Gotthold Ephraim *Lessing* (1729–1781) hat seiner Fabelausgabe von 1759 fünf Abhandlungen vorangestellt. Seine Zentralthese ist, daß die Fabel auf dem »gemeinschaftlichen Rayn der Poesie und Moral« entsteht (Vorrede zu den Fabeln). Sie ist erdichtet und aus ihr folgt eine Lehre. Bedeutsam ist, daß Lessing die Handlung der Fabel für unwichtig hält: »Sobald er [der Dichter] sie [die Moral] erhalten hat, ist es ihm gleichviel, ob die von ihm erdichtete Handlung, ihre innere Endschaft erreicht hat oder nicht [...] der enthalte sich des Wortes Handlung, insofern es eine wesentliche Eigenschaft der Fabel ausdrücken soll, ganz und gar« (Petersen-Olshausen, Bd. 15, S. 55 u. 56). Lessing folgert: wenn nur die Belehrung wichtig ist, dann kann die Handlung jederzeit aufhören. Seine Fabeln sind auch weitgehend nur ein Fall, eine (statische) Situation, und entsprechen dieser Vorstellung. »Wenn wir einen allgemeinen moralischen Satz auf einen besondern Fall zurückführen, diesem besondern Falle die Wirklichkeit erteilen und eine Geschichte daraus dichten, in welcher man den allgemeinen Satz anschauend erkennt: so heißt diese Erdichtung eine Fabel« (ebda, S. 62). Auch bei Lessing ist die Fabel eindeutig Tendenzliteratur. Eine bestimmte Absicht wird angestrebt und das beste Mittel zu ihrer Verwirklichung angewandt. Jede Ausschmückung der Erzählung unterbleibt; sie lenkt vom Ziel, der klaren Erfassung des abstrakten Satzes, ab. Die Fabel wird von der märchenhaften Erzählung auf die nüchterne und kurze Darstellung eines Sachverhaltes reduziert. Nicht mehr primär über Regungen des Gefühls wird der Zweck erreicht, sondern bewußt werden Verstand und Vernunft eingesetzt. Hieraus erhält auch der gegen Gottsched gerichtete Satz, daß die Fabel Wirklichkeit benötige, seine Berechtigung: »Begnüge ich mich an der Möglichkeit desselben, so ist es ein Beispiel, eine Parabel« (ebda, S. 57). Die Fabel soll durch die Macht ihrer Beweiskraft überzeugen: dadurch daß sie eine wirkliche Handlung schildert, entzieht sich ihre Lehre jedem Zweifel. Der demonstrierte Satz gilt, weil der erzählte Fall es beweist. Auch bei Lessing wird die Fabel weitgehend konstruiert, denn Tiere werden wegen der »allgemein bekannten Bestandheit [Beständigkeit] der Charaktere« (ebda, S. 66) in der Fabel verwendet. Dadurch kann der Fabeldichter mit ganz bestimmten Größen rechnen, und auch der Leser weiß, welche Eigenschaften eine bestimmte Figur hat. Lessing konnte mit dieser Bestimmung die Kürze seiner Fabeln sichern: die Schilderung der einzelnen handelnden Figuren in ihrer Eigenart durfte unterbleiben; sie war allgemein bekannt.

Johann Gottfried *Herder* (1744–1803) hat sich mit seinen Vorgängern, besonders mit Breitinger und Lessing, auseinandergesetzt und in gewisser Weise eine Synthese ihrer Ansichten geschaffen. Sein Aufsatz »Über Bild, Dichtung und Fabel« verrät schon durch die Abfolge der Worte die Herdersche Position: am Anfang stand das Bild, aus ihm entwickelte sich die Dichtung; die Fabel stellt in ihrer Hochstufe der Abstraktion eine späte Erscheinung des menschlichen Geistes dar. Herder faßt den Denkvorgang in der Fabel jedoch nicht als Abstraktion im engeren Wortsinn, vielmehr glaubt er, daß die Analogie die typische Denkweise des Fabeldichters sei. Der demonstrierte Satz wird nicht auf dem Weg von a (dem geschilderten Fall) über c (die allgemeine Vorstellung) zu b (dem jetzt vorliegenden Fall) gewonnen, sondern dadurch, daß c ausgeschaltet wird. Das im Leben des Lesers vorliegende Geschehen ist »ein kongruenter Fall der Anwendung« der Fabelerzählung (Bd. 15, S. 553).

Wichtiger noch als diese Unterscheidung ist für die Fabel die These Herders, daß unter Dichten Anthropomorphisieren zu verstehen sei: »wenn er [der Mensch] diese [anthropomorphisierten] Anschauungen nun so stellet und ordnet, daß er in ihnen einen Erfahrungssatz oder eine praktische Lehre für sich [. . .] daraus absondert, so ist die äsopische Fabel gegeben« (S. 539). Also ist

6

»die äsopische Fabel [. . .] nichts als eine moralische Dichtung« (ebda). Sie bildet, wie schon Lessing betonte, die Grenze zwischen Dichtung und Moral. Anthropomorphisierung und Lehre – und zwar praktische Belehrung in Fragen des täglichen Lebens, wie Herder gegen Lessing einwendet, der vom moralischen Nutzen der Fabel spricht – sind für ihn das Wesentliche der Fabel. Von diesen Wesenszügen her werden die Einzelheiten im Erscheinungsbild der Fabel geklärt, etwa die Frage, warum die Fabel Tiere bevorzuge. Herder meint, Pflanzen und andere unbelebte Naturdinge seien dem Menschen nicht so ähnlich wie das Tier. Das Tier lasse sich am ehesten anthropomorphisieren, deshalb eigne es sich am besten für die Fabel (S. 540). Zu welchen Schwierigkeiten die Anwendung dieser These führt, hat Herder selbst geahnt. Seine Lösung ist nicht befriedigend; er schreibt: »jedes Tier (spreche) genau nur in seinem Kreise, nach seinem Charakter; nicht als Mensch, sondern nur Menschenähnlich« (S. 543). Er lehnt das menschlich denkende Tier ab, kann aber keine Antwort darauf geben, wie die Vermenschlichung auszusehen habe, wie weit ein Tier menschlich sein dürfe. Dadurch, daß er das Wort »menschenähnlich« einführt, ist nichts geklärt; denn das bedeutet, daß das Tier ähnlich wie ein Mensch denkt. Das Tier dürfte aber nach Herders Definition nicht denken und eigentlich nicht reden, denn sobald es eines von beiden unternimmt, bewegt es sich nicht mehr »in seinem Kreise, nach seinem Charakter«. Das Tier der Fabel müßte so handeln, wie es sich dem nicht assoziierenden Beobachter darstellt, wie es in der naturwissenschaftlichen Beschreibung erscheint. Sobald typisch menschliche Verhaltensweisen projiziert werden (etwa denken) oder sobald tierische Verhaltensweisen (Nahrungssuche) menschlich interpretiert werden (Sorge um die Nahrung), kann man von Anthropomorphisierung sprechen.

Herders Definition der Fabel faßt seine Ansicht zusammen: die Fabel ist »eine Dichtung, die für einen gegebenen Fall des menschlichen Lebens in einem andern congruenten Falle einen allgemeinen Erfahrungssatz oder eine praktische Lehre nach innerer Notwendigkeit derselben so anschaulich macht, daß die Seele nicht etwa nur überredet, sondern Kraft der vorgestellten Wahrheit selbst sinnlich überzeugt werde« (S. 561).

Georg Wilhelm Friedrich *Hegel* (1770–1831) hat sich in seinen Vorlesungen zur Ästhetik auch zur Fabel geäußert und die traditionellen Meinungen diskutiert und zusammengefaßt. Die Differenz zwischen Lessing und Herder, ob die Fabel moralische Lehren aufstelle oder Lebensklugheit vermittle, löst er, indem er der Fabel beides zuspricht (S. 510). Er betont, daß der »Fall, der die sogenannte Moral liefern soll, nicht nur erdichtet und, hauptsächlich, daß er nicht der Art und Weise, wie dergleichen Erscheinung wirklich in der Natur existieren, zuwider erdichtet sey« (S. 511). Hegel fordert also auch die Natürlichkeit der Tiererzählung: das Tier darf nicht aus seinem Lebensraum gerissen werden. Die Möglichkeit eines Bezuges zum Menschen umschreibt er so: »Dieses Verhältnis oder Ereignis, in seinen allgemeinen Bestimmungen aufgefaßt, ist dadurch von der Art, daß es auch im Kreise des menschlichen Lebens vorkommen kann.« Hegel umgeht den schwierigen Begriff der Anthropomorphisierung. Er fordert nur die Darstellung des »gewöhnlichen Verlaufs natürlicher Vorgänge«, aus dem sich dann »eine Lehre [. . .] abstrahieren läßt« (S. 510). Das Tier wird nicht mehr dem Menschen gleichgemacht, sondern durch theoretische Erhellung allgemeiner Verhaltensweisen werden Regeln gefunden, die eine Gleichordnung gestatten: das Tier hat ganz bestimmte allgemeinste Verhaltensweisen mit dem Menschen gemein; es ißt, es trinkt, es wird geboren, es stirbt (wenn auch nicht im theologischen Sinn); das Tier ist ebenso der täglichen Sorge um die Nahrung ausgesetzt wie der Mensch (wenn es auch diese nicht als solche empfindet). Diese Züge, in ihrer allgemeinen Funktion aufgefaßt: als Momente einer strukturellen Identität, gestatten nach der Hegelschen Ansicht eine für den Menschen gültige Abstraktion einer Lehre.

Jacob *Grimm* (1785–1863) formulierte in der Einleitung zur Ausgabe des »Reinhart Fuchs« von 1834 seine romantisierende Ansicht von der Fabel. Das Problem, das bei Herder durch die Anthropomorphisierung entstanden war, löst er auf alexandrische Weise, indem er den Knoten zerschlägt. Er meint, daß die äußere Menschenähnlichkeit und das Verhalten der Tiere dazu zwinge, »in ihrem innern ein analogon von seele anzuerkennen« (S. I). Das Problem der Vermenschlichung besteht nicht mehr. Das Tier wird zur Person, zum Menschen erklärt. Damit trifft Grimm das Grundgefühl vieler Dichter der Fabel: die Tiere werden als Personen, als moralisch handelnde Wesen verstanden.

Das Neue bei Grimm ist, daß er der Fabel eine lehrhafte Tendenz abspricht. Die Lehre gehört für ihn nicht zu ihrem ursprünglichen Wesen; sie sei vielmehr Zutat einer späteren Zeit. Er ordnet die Fabel dem Epos gleich: »Sie lehrt wie alles epos, aber sie geht nicht darauf aus zu lehren« (S. XIII). Die Fabel stellt Welt dar, ohne dabei irgendeine Belehrung im Auge zu haben. Die Fabel nähert sich in dieser Sicht dem Tiermärchen oder der Tiersage, also der reinen Erzählung mit Tieren ohne jede pointenhafte oder andere Zuspitzung.

Von den neueren Forschern hat sich der Romanist Emil *Winkler* (1922) mit der Theorie der Fabel beschäftigt. Er sieht ihr wesentliches Kennzeichen in der Vermenschlichung: »An der Wurzel aller Tierdichtung steht unser Anthropomorphisierungstrieb« (S. 282). Das »Kunstproblem der Tierdichtung« besteht für ihn in der Frage, wie weit die Vermenschlichung der Tiere gehen dürfe. Was Herder und Grimm als wesentlich erkannt hatten, wird von ihm zum entscheidenden Kriterium erhoben. Er sieht keine Möglichkeit, das Problem allgemein zu lösen: »Die Grenzen, wo das vermenschlichte Tier zu einem rein äußerlich als Tier kostümierten Menschen wird, schwimmen« (S. 284). Er hält sich damit an ein Wort Karl Vosslers, nach dem die Definition einer Gattung sich »auflösen muß in deren Entwicklungsgeschichte« (ebda).

Kurz nach Winkler hat sich Walter *Wienert* (1925) zur Fabel geäußert. Die Anthropomorphisierung ist ihm weniger wichtig; er meint: »Zum Wesen der Fabel gehört nur eine als wirklich dargestellte Handlung und dazu die Translatio oder Verallgemeinerung« (S. 17). Er unterscheidet daher eine »Erzählseite« und eine »Sinnseite« (S. 20). Mit der als »wirklich dargestellten Handlung« soll die Gültigkeit der Lehre gesichert werden. Herder legte nur Wert auf die innere Logik der Erzählung; die fiktive Wirklichkeit war ihm nicht wichtig. Hier zeigt sich ein weiteres Problem: woher gewinnt die Fabel ihre Beweiskraft, wenn sie schon eine Lehre demonstriert? Daraus, daß die Handlung als wirklich geschehen geschildert wird, oder daraus, daß der als fiktiv erlebte Fall durch die ihm innewohnende Konsequenz überzeugt?

B. E. *Perry* hat 1959 vom altphilologischen Standpunkt aus versucht, das Wesen der Fabel zu erhellen. Er ordnet sie dem Sprichwort und dem Gleichnis bei: »Fable in its simplest form is identical [. . .] with a certain kind of proverb, the kind that consists in the statement of a particular action or event in the past with pictures, metaphorically, a general truth or a type of phenomena« (S. 25). Diese Definition gilt jedoch höchstens für den »Sinnteil« bestimmter Fabeln, nämlich solcher, die sich bei der Lehre nicht abstrakter Termini, sondern bekannter Bilder bedienen.

Literatur zur Theorie der Fabel (chronologisch geordnet, auch hier nicht referierte):

Steinhöwels Äsop, hrsg. v. H. Österley, 1873. (BLVS Bd 117).
Martin *Luthers* Fabeln, hrsg. v. W. Steinberg, 1961.
Harsdörffer, G. Ph.: Nathan und Jotham: das ist Geistliche und Weltliche Lehrgedichte [. . .] 1650, Vorrede.

Gottsched, J. Chr.: Versuch einer critischen Dichtkunst, ⁴1751, fotomechan. Neudruck 1962.

Wolff, Chr.: Philosophica practica universalis [...] 1738. Teil 2, Kap. 2, § 302–323; dazu: D. *Harth*, Christian Wolffs Begründung des Exempel- und Fabelgebrauchs im Rahmen der Praktischen Philosophie, in: DVjs 52, 1978, S. 43–62.

Breitinger, J. J.: Critische Dichtkunst, 2 Bde, 1740, fotomechan. Neudruck 1966. Bd. 1, Abschn. 7, S. 164–262.

Bodmer, J. J.: Critische Vorrede zu: Ludwig Meyer von Knonau, Ein halbes Hundert neuer Fabeln, 1744; Kritische Briefe, 1746. Brief 9 u. 10, S. 146–189.

Huch, E. L. D.: Aesopus oder Versuch über den Unterscheid zwischen Fabel und Mährchen, 1769.

Gellert, Chr. F.: Fabeln und Erzählungen / Schriften zur Theorie und Geschichte der Fabel. Histor.-krit. Ausgabe, bearb. v. Siegfried Scheibe, 2 Bde. 1966. (Neudrucke dt. Literaturwerke. NF, Bd 17 u. 18).

Lessing, G. E.: Fabeln, in: Sämmtl. Schriften, hrsg. v. K. Lachmann, 3. Aufl. von Fr. Muncker Bd 1, 1886, S. 157–234; Abhandlungen: Bd 7, 1891, S. 413–479. – Lessings Werke, hrsg. v. Petersen/Olshausen, 1926. Bd 1: Fabeln, S. 139–172; Bd 15: Schriften zur Geschichte der Fabel, 278 S. – Ges. Werke, hrsg. v. P. Rilla, 1954. Bd 1: Fabeln, S. 225–303; Bd 4: Abhandlungen über die Fabel, S. 7–85; vgl. auch die Ausgaben der Verlage Hanser, Insel; solide und leicht zugänglich: Fabeln. Abhandlungen über die Fabel, hrsg. v. H. Rölleke (Reclam).

Engel, J. J.: Poetik 1783, in: Schriften, Bd 1, 1806, Fabel: S. 43–93.

Herder, J. G.: Über Bild, Dichtung und Fabel, in: Zerstreute Blätter, 3. Slg. 1787, S. 87–190; auch in: Sämmtl. Werke, hrsg. v. B. Suphan, Bd 15, 1888, S. 523–568; Fabel, in: Adrastea, Bd 2, 1801, S. 87–131; auch in: Sämmtl. Werke, hrsg. v. B. Suphan, Bd 23, 1885, S. 252–273; vgl. auch Bd 1, 1877, S. 426–449, bes. S. 434 (Vom neuern Gebrauch der Mythologie), u. Bd 2, 1877, S. 188–199 (Aesop und Lessing).

May, Kurt: Lessings und Herders kunsttheoretische Gedanken in ihrem Zusammenhang, Diss. Berlin 1923. (German. Studien. 25).

Bardili [Chr. G.]: Was ist das Eigenthümliche der Aesopischen Fabel? Eine psycholog. Untersuchung, in: Berlinische Monatsschrift 18, 1791, S. 54–61.

Hölderlin, Fr.: Von der Fabel der Alten, in: Sämtliche Werke (Kleine Stuttgarter Ausg.), Bd 4, S. 304.

Hegel, G. W. F.: Vorlesungen über die Ästhetik, II. Teil, 3. Kap.

Grimm, J.: Reinhart Fuchs, 1834, Vorwort.

Vischer, Fr. Th.: Ästhetik oder Wissenschaft des Schönen, 3 Bde, 1846–1857. (Bd 3: Anhang von der Lehre der Dichtkunst überhaupt, S. 1456–1474).

Meyer, J. F. E.: Über den Begriff der äsopischen Fabel, Progr. Eutin 1847.

Wackernagel, W.: Von der Thiersage und den Dichtungen aus der Thiersage (1867), in: Kleinere Schriften 2, 1873, S. 234–326.

Löwe, F.: Einleitung zu: Krylof's sämmtliche Fabeln, 1874, bes. S. XXIV–XLVIII.

Strackerjahn, K.: Der Mensch im Spiegel der Tierwelt, Progr. Oldenburg 1885.

Wundt, W.: Völkerpsychologie, 3. Bd, Die Kunst ²1908, S. 364–383.

Jülicher, A.: Die Gleichnisreden Jesu, 1910, Nachdruck 1963, bes. S. 25–118.

Eich, H.: Über das Seelenleben der Tiere in der Dichtung, in: Österreichische Rundschau 26, 1911, S. 305–309.

Smith, M. E.: The Fable and Kindred Forms, in: JEGPh 14, 1915, S. 519–529.

Winkler, E.: Das Kunstproblem der Tierdichtung, besonders der Tierfabeln, in: Hauptfragen der Romanistik. Festschrift für Ph. A. Becker, 1922, S. 280–306.

Dornseiff, Fr.: Literarische Verwendung des Beispiels, 1927. (Vorträge der Bibliothek Warburg 1924/25), S. 206–228.

Wienert, W.: Die Typen der griechisch-römischen Fabel, mit einer Einleitung über das Wesen der Fabel, 1925. (FFC 56).

Staege, M.: Die Geschichte der dt. Fabeltheorie, Diss. Bern 1929. (Sprache u. Dichtung. 44). Nachdruck 1970.

Kayser, W.: Die Grundlagen der dt. Fabeldichtung des 16. und 18. Jhs, in: Archiv f. d. Studium d. neueren Sprachen 160, 1931, S. 19–33.

Rammelmeyer, A.: Studien zur Geschichte der russischen Fabel des 18. Jhs., 1938.

Sternberger, D.: Figuren der Fabel, 1950. (Essays)

Perry, B. E.: Fable, in: Studium Generale 12, 1959, S. 17–37.

Nøjgaard, M.: La fable antique, 2 Bde, 1964/67.

Friederici, H.: Die Tierfabel als operatives Genre, in: WB 11, 1965, S. 930–952.

Wilke, Chr. H.: Fabel als Instrument der Aufklärung. Untersuchung der Leistungsfähigkeit eines literarischen Typus, in: Basis. Jahrbuch für Gegenwartsliteratur II, 1971, S. 71–102.

Weinrich, H.: Wenn ihr die Fabel vertreibt, in: Information und Imagination. Hrsg. v. der Bayerischen Akademie der Schönen Künste, 1973, S. 61–83.

Gebhard, W.: Zum Mißverhältnis zwischen der Fabel und ihrer Theorie, in: DVjs 48, 1974, S. 122–153.

Vindt, L.: Die Fabel als literarisches Genre, in: Poetica 9, 1977, S. 98–115.

Schmidt, P. L.: Politisches Argument und moralischer Appell. Zur Historizität der antiken Fabel im frühkapitalistischen Rom, in: DU 6, 1979, S. 74–88.

Einen Überblick über die Forschung zur Fabel bietet Staege (s. o.), jetzt weitgehend ergänzt durch:

Briegel-Florig, W.: Geschichte der Fabelforschung in Deutschland, Diss. Freiburg i. Br. 1965.

Eine Sammlung theoretischer Texte bietet:

Leibfried, E./*Werle*, J.: Texte zur Theorie der Fabel, 1978 (= Sammlung Metzler 169.)

Die bisher besprochenen Versuche einer Wesensbestimmung der Fabel gehen alle, so verschieden sie auch in Methode und Ergebnis sind, vom äußeren Erscheinungsbild aus, von dem sie auf ein mehr oder weniger statisch gefaßtes Wesen schließen. Diese Versuche der philosophischen Begriffsbestimmung hören 1922 mit *Winkler* auf; mit *Crusius* (1913) beginnt der Versuch, das Typische der Fabel durch eine Analyse ihrer Genese zu erhellen. Man glaubt dadurch, daß man die Bedingungen der Entstehung aufzeigt, etwas für die Bestimmung der Form zu leisten.

Schon während des 19. Jhs. hatte man versucht, den Entstehungsort der Fabel zu finden. Die Ansichten waren geteilt: Indien, Babylon, Ägypten, Arabien, Griechenland wurden in Betracht gezogen. Jacob Grimm glaubte, daß ein Großteil der Fabelmotive germanischen Ursprungs sei. Heute hat man sich auf eine Polygenese geeinigt; Crusius dürfte die allgemeine Ansicht zusammenfassen: »Nach der Heimat der Fabel zu forschen, ist sinnlos [. . . es handelt sich] hier um eine Urform unserer Geistesbetätigung« (S. IV).

Die These der Polygenese, die erst nach langer Diskussion allgemein anerkannt wurde, mußte notwendig zu der Frage führen: wieso entstand die typische Form der Fabel an verschiedenen Orten? Auch hier herrscht heute weitgehend Übereinstimmung. Man nimmt an, daß überall der gleiche Grund vorlag. Denn wie sollten – so argumentiert man – unterschiedliche Bedingungen eine überall gleiche Form hervorrufen? Der Grund der Entstehung muß, wenn die eine Form unabhängig von der anderen entstand, der gleiche gewesen sein. Und dieser Grund wird in der sozialen Gliederung der Gesellschaft, die die Fabel hervorbrachte, gesehen: in der Teilung in Herren und Knechte und in den Spannungen, die zwischen beiden Schichten herrschten. Crusius schreibt: »Die Geschichte der Fabel in Europa beginnt mit dem Aufsteigen der niedern Volksschichten, der Bauern und Halbbürtigen [. . .] Die ältesten Fabeln sprechen die ethischen und wirtschaftlichen Ideale dieser Kreise aus [. . .] die Fabeln begleiten den Bauernaufstand in der Moral« (S. IX).

Der Schweizer bürgerliche Philologe *Spoerri* hat 1942 im Anschluß an Crusius dieses Wort vom »Aufstand der Fabel« aufgegriffen. Fabel ist für ihn eine literarische Gattung, die das Lebensgefühl der unteren Volksschichten ausdrückt. In der Fabel rebelliere der Sklave (Aesop) bzw. der Untertan (Pfeffel) gegen den mächtigen Herrn: Der Fabeldichter »sieht die Großen in ihrer ganzen Brutalität, Machtgier und Heuchelei« (S. 37). Spoerri vertritt emphatisch diese These von der Funktion der Fabel und erklärt damit auch ihre Blüte im 18. Jh.: »Die Fabel ist der Feuerbrand, der aus den Kellergewölben der Paläste aufsteigt [...] Die Könige und Helden haben ausgespielt [...] (schließlich) verwandelt es [das Volk] Literatur in blutige Realität [in der französischen Revolution]« (S. 39). Karl *Meuli* (1954) folgt Spoerri durchaus; er spricht von einer »soziologischen Funktion« der Fabel. Vom germanistischen Standpunkt aus hat Arno *Schirokauer* (1953) diese These vertreten. Er argumentiert ganz wie Meuli und Spoerri: »am Platz der Fabel in der Literatur läßt sich die Stellung des Untertanen in der Gesellschaft ablesen« (S. 191). Vorsichtiger müßte man den Sachverhalt wohl so formulieren: besonders die frühen griechischen Fabeln (und die ›vita Esopi‹) legen den Schluß nahe, daß die Fabel als Gattung primär entstand, um die Interessen unterdrückter Teile der Gesellschaft zu artikulieren. Dieses Moment gehört jedoch nicht zu jeder ihrer Erscheinungen: vielmehr wurde die Fabel auch zur affirmativen Sozialisation eingesetzt (früher Beleg: die Fabel vom Magen und den Gliedern von M. Agrippa, erzählt bei Livius, A.u.c. 2, 32,7–33,1). Man kann allerdings das kritische Moment als zu ihrem Begriff gehörig postulieren und immer dort von einer reaktionären Umfunktionierung reden, wo es nicht vorliegt (vgl. auch Kap. X in diesem Bd.). Wohl zum ersten Mal formuliert wurde diese Genesis- und Funktionsthese von Phädrus selbst: »Weil der Sklavenstand / Nicht wagt, das alles frei zu sagen, was er will, / Hüllt er die eigenen Gedanken in die Fabel« (Phaedrus, Liber Fabularum, hrsg. von O. Schönberger, 1975, S. 49).

Literatur

Gebhard: Über den Ursprung der äsopischen Fabel, in: Deutsches Museum II, 1784, S. 553–563.
Grimm, J.: Reinhard Fuchs, 1834.
Dressel, J. P. R.: Zur Geschichte der Fabel, Progr. Berlin 1876.
Diels, H.: Orientalische Fabeln in griechischem Gewande, in: Internationale Wochenschrift f. Wissenschaft, Kunst u. Technik 10, 1910, S. 993–1002.
Crusius, O.: Einleitung zu: Das Buch der Fabeln, zusammengest. von Chr. H. Kleukens, 1913.
Ebeling, E.: Die babylonische Fabel und ihre Bedeutung für die Literaturgeschichte, in: Mitteilungen der altoriental. Gesellschaft II, 3, 1927.
Spoerri, Th.: Der Aufstand der Fabel, in: Trivium I, 1942/43, S. 31–63.
Meuli, K.: Herkunft und Wesen der Fabel, 1954; auch in: Schweiz. Archiv f. Volkskunde 50, 1954, S. 65–88.

Schirokauer, A.: Die Stellung Äsops in der Literatur des MAs, in: Festschrift für W. Stammler, 1953, S. 179–191.

Brunner-Traut, E.: Ägyptische Tiergeschichte und Fabel, in: Saeculum X, 1959, S. 124–185; erweiterte Fassung: Altägyptische Tiergeschichte und Fabel, ⁵1977.

3. Kritik der Theorien

Die These vom »Aufstand der Fabel« und ihrer »soziologischen Funktion« ist nicht rein hypothetisch; sie läßt sich an historisch greifbaren Fällen belegen. Einen Hinweis bietet z.B. das Volksbuch von den ›Sieben weisen Meistern‹:

> Der Kaiser Pontianus hat zum zweitenmal geheiratet. Seine Frau will den Erben des Reiches, der aus der ersten Ehe stammt, umbringen. Sie erzählt dem Kaiser die Fabel ›von einem edeln Baum‹, der durch ein junges Reis erstickt wird. Die Parallele ist deutlich: »Herr, habt ihr mich wohl verstanden? Der Baum, das seid ihr, ein edler Kaiser ... das kleine Bäumlein, das ist euer Sohn, der unselige Bösewicht« (S. 20). Der Kaiser verurteilt seinen Sohn auf Grund dieser Erzählung zum Tode. Einer der sieben Meister kommt jedoch zu ihm und erzählt die Fabel ›vom Hund und der Schlange‹. Er erlangt Aufschub der Urteilsvollstreckung: »Das ist eine gute Mahnung gewesen, ohn Zweifel, mein Sohn stirbt dieses Tages nicht« (in der Ausgabe von Rich. Benz, 1912, S. 27).

Die Fabel bildet also ein Mittel, den Willen des Herrschers zu beeinflussen. Offen und ohne Verkleidung kann man ihm keine Ratschläge erteilen, wohl aber in Form einer Erzählung.

Spoerri, Meuli und auch Schirokauer verabsolutieren diese These der soziologischen Funktion; sie wollen jede Fabel auf sie zurückführen. Damit verkürzen sie die Wirklichkeit: eine große Zahl von Fabeln – etwa alle Fabeln des Stricker – ist durchaus frei von einer Spannung zwischen Untertan und Herrscher. Sie vermitteln Lebensklugheit oder religiös-moralische Wahrheiten, erfüllen aber keine soziologische Funktion im angeführten Sinn. Damit werden überhaupt nur die politischen Fabeln erfaßt und alle Fabeln mit anders geartetem Gehalt beiseite gelassen. Die referierten Thesen übersehen, daß die Zeit der Entstehung der Fabel geschichtlich nicht zu fassen ist. Jede Aussage über einen Entstehungsgrund bleibt daher hypothetisch. Von bestimmten historisch faßbaren politischen Fabeln auf eine allgemeine Funktion zu schließen, bedeutet eine unzulässige Verallgemeinerung. Wenn einzelne Fabeln soziale Spannungen ins Bewußtsein heben, dann muß noch nicht jede Fabel unmittelbar sich mit politisch-sozialen Problemen beschäftigen.

Die Vermittlung von Text und Gesellschaft bei Fabeln mit lebenskluger, moralischer, religiöser Tendenz ist komplexer, als die These formuliert: lebenskluge Epimythien z. B. müssen nicht das revolutionäre Bewußtsein Unterdrückter artikulieren. Vielmehr kann umgekehrt die Fabel eingesetzt werden, um revolutionäre Tendenzen erst gar nicht entstehen zu lassen.

Die Zahl der kritischen Fabeln des 18. Jhs. ist zum Beispiel viel geringer als die der affirmativen. Bes. im 19. Jh. ist die Fabel für Kinder zum Instrument anpassender Sozialisation geworden; sie vermittelt die quietistischen Normen der bürgerlichen Erwachsenen in gefällige Formen verpackt an die Heranwachsenden. Ob eine Gattung progressiv oder regressiv ist, läßt sich nicht allgemein festlegen. Im einzelnen Fall müßte unter Einbezug der historischen Situation zur Entstehungszeit des Textes ausgemacht werden, wo die einzelne Fabel jeweils, geschichtsphilosophisch gesehen, stand. Das ist nur möglich, wenn die immanente Analyse des Textes nach seinen Strukturen ergänzt wird durch ausgedehnte Erforschungen des ökonomischen, gesellschaftlichen Umfeldes.

Die angeführten Theoretiker abstrahieren eine Funktion, also eine Wirkung der Fabel, indem sie neben ihr keine andere gelten lassen und heben dann diese Funktion in den Rang des Wesensmerkmals. Für Spoerri und seine Nachfolger ist die »soziologische Funktion« eine Eigenschaft, die integrativ zur Fabel zählt. Damit wird eine Funktion, die in einem bestimmten Kontext auftreten kann, zum Bestandteil der dichterischen Form: die Form verhält sich aber ihrer möglichen Wirkung in der Gesellschaft gegenüber neutral. Die ausgeführte These kann sinnvoll nur so formuliert werden: es gibt Fabeln, die eine solche Form oder eine solche semantische Struktur haben, daß sie in einem bestimmten sozialen Kontext eine sozialkritische Funktion ausüben können. Es gibt jedoch auch Fabeln, die keine gesellschaftsverändernde Funktion ausüben. Die historisch überlieferten Fabeln sind teils emanzipativ, teils manipulativ.

Was wird nun durch die oben referierten theoretischen Bestimmungen gewonnen? Sie vermitteln eine Vorstellung vom allgemeinen philosophischen Wesen der Fabel, gehen also auf etwas Geistig-Abstraktes, nicht auf Sinnlich-Anschauliches. Sie treffen damit nur zum Teil den dichtungstheoretischen Begriff der Fabel: hierzu gehört eine genaue Deskription der verschiedenen Möglichkeiten, unter denen das allgemeine Wesen wirklich werden kann, bzw. wirklich geworden ist.

Hinzu kommt, daß die einzelnen Theoretiker ihre Thesen an nur je einem Vertreter der Gattung gewinnen: Lessing etwa an Aesop –

Grimm an einer mehr geschauten als tatsächlich vorhandenen Mischung von Fabel und Tiermärchen. Diese historisch einmaligen Erscheinungen werden als Norm absolut gesetzt, das heißt aus dem geschichtlichen Zusammenhang gelöst und zum Ansich der Fabel schlechthin erklärt. Daß dadurch eine Verkürzung der Wirklichkeit eintritt, ist deutlich: die vielen variierten Formen der Gattung werden übersehen oder abgewertet.

Instruktiv ist, daß die allgemeinen Definitionen weitgehend übereinstimmen, bzw. sich polar gegenüberstehen: die philosophischen Theoretiker wie Lessing und Hegel glauben an eine belehrende Fabel; sie ist von vornherein auf eine Tendenz hin angelegt, die Lehre zählt integrativ zur Form. Die romantisierenden Betrachter wie Jacob Grimm sehen in der Fabel mit formulierter Lehre eine überarbeitete Spätform, das Produkt eines diskursiven Verstandes. Die echte Fabel besteht für sie im naiven, unreflektierten Tiermärchen.

Eine Vereinigung beider Thesen ist bei Herder und Grimm vorgebildet; sie läuft auf die Hypostasierung einer bestimmten Entwicklung hinaus: vom Märchen, der Sage, dem Sprichwort durch einen abstrahierenden Prozeß zum Lehrgedicht, zur Satire und zur Fabel. Da diese Entwicklung an Hand der Überlieferung kaum zu gewinnen ist – vorhanden ist nur die aesopisch geprägte Form, also die belehrende Fabel –, bleibt als mögliche wissenschaftliche Aufgabe nur ihre Beschreibung oder die Ergänzung der theoretischen Bestimmungen durch phänomenale, morphologische Eigenschaften. Denn alle Versuche, die Fabel zu definieren, sind unbefriedigend; sie erhellen immer nur eine Seite. Dieses Mißverhältnis zwischen der Fabel und ihrer Theorie ist aber schlecht zu beseitigen: selbst wenn man annimmt, daß die Fabel nicht zur Dichtung im engeren Sinne, sondern zur Tendenzliteratur zählt, bleibt immer noch die Tatsache, daß die Fabel etwas Geschichtliches ist und sich wandelt. Jeder Versuch einer Definition, der Allgemeingültigkeit beansprucht, beschäftigt sich mit dem Unmöglichen: im Wandel das Überdauernde zu fassen. Die einzige Möglichkeit einer Definition besteht in einer Beschreibung der Veränderung und in dem Versuch, die trotz aller Wandlung gleichbleibenden Züge herauszustellen. Daß dies nicht unternommen wurde, macht das Ungenügende der meisten Theorien aus: sie definieren zu einseitig, beschreiben zu wenig und entscheiden von einem unbeweglichen Blickwinkel her.

Neben der Kleinform der Fabel erscheint schon früh in Deutschland – wenn auch nicht in deutscher Sprache – eine epische Großform, die ähnliche Merkmale wie die Fabel – anthropomorphisierte Tiere als handelnde Figuren – zeigt: das *Tierepos*.

Das Verhältnis des Epos zur Fabel hat man verschieden beurteilt: auf der einen Seite glaubt man, daß das Tierepos durch »Aneinanderreihung verschiedener Episoden zu einer Kette« (*Silcher*, S. 16) entstand, daß also zuerst die Kleinform vorhanden war und daß eine Kompilation mehrerer Fabeln erst das Epos entstehen ließ. Nach *Martin* entwickelte sich die Tiersage aus aesopischen Fabeln, besonders in Klosterschulen. Auf der anderen Seite vertritt man entschieden die Ansicht, daß zuerst die Großform vorhanden gewesen sei, das reine Epos. Aus ihm hätten sich einzelne Erzählzüge gelöst, die dann mit einer Lehre versehen worden seien. »Aus dem Tierepos entwickelte sich so die Fabel« (*Plessow*, S. XXVI; vgl. auch *Thiele*).

Gegenüber diesen Versuchen, eine einspurige Entwicklung herzustellen, vertritt *Meuli* die These, daß das Tierepos als »eigene konstruktive, literarische Schöpfung« zu betrachten sei (S. 20). Er wendet sich gegen jeden Versuch einer Ableitung und gibt nur zu, daß dem ursprünglichen, tendenzfreien Epos durch die Behandlung im Kloster moralische oder politische Absichten untergelegt wurden, daß es also äußerlich der aesopischen Fabel sich anglich.

Es ist schwer, eine Form von einer anderen abzugrenzen, die selbst nicht eindeutig bestimmt ist. Die Definitionen des *Märchens* gehen weit auseinander. Möglich ist ein Vergleich überhaupt nur, weil trotz aller Abweichungen in der theoretischen Festlegung eindeutige Vorstellungen von dem bestehen, was an Texten zum Märchen und was zur Fabel zu rechnen sei. Der Hauptunterschied im phänomenalen Bereich dürfte im Inventar bestehen: im Märchen handeln Menschen, Riesen oder Feen, in der Fabel dagegen Tiere oder Pflanzen. Entsprechend dieser Differenz ist auch die Geisteshaltung des Märchens eine andere: im Märchen dominiert das Phantastische, Zauberhafte, die magische Bewältigung der Welt. In der Fabel geht alles natürlich zu, es werden keine Zauberkräfte zu Hilfe gerufen, Magie fehlt. Trotzdem ist bei der Fabel etwas vorhanden, das dem Märchenhaften entspricht: man kann es in Analogie zu dieser Bildung das Fabelhafte nennen oder – weniger belastet – das Fabulose. Mit anderen Worten: rein deskriptiv läßt sich feststellen, daß Märchen und Fabel mit verschiedenem Inventar arbeiten und daß diesem Unterschied im Inventar auch eine andere Einstellung zur Welt entspricht. *Petsch* umschreibt den Unterschied zwischen Märchen und Fabel so: »Das Märchen gehört einer kindlicheren Stufe der Menschheit an als die Fabel, die immer schon einen überlegenen Verstand, ein abgeklärtes Nachsinnen voraussetzt« (S. 165). Er nennt nicht das Fabulose, weist aber auf ein Phänomen hin, das die Fabel vom Märchen trennt: die Reflexion. Anscheinend wirkt das Märchen nur emotional, während die Fabel gerade durch ihre Lehre den Verstand anspricht. Durch den Vergleich mit dem Märchen lassen sich somit zwei Merkmale der Fabel gewinnen: sie ist fabulos – wobei vorläufig noch unbestimmt bleibt, was darunter zu verstehen ist – und sie zeigt ein stark reflexives Moment.

Der Unterschied zur *Parabel* läßt eine weitere Eigenschaft der Fabel deutlich werden: in Lessings Ringparabel wird eine Geschichte erzählt und eine Lehre vermittelt, trotzdem spricht man nicht von einer Fabel. Ursache dafür ist einmal die Abweichung im Inventar. Solange nicht Tiere, Pflanzen, leblose Dinge zu handelnden Personen werden, fehlt der fabulose Stilzug. Hinzu kommt, daß eine Parabel in bestimmter Weise allegorisch ist, eine aesopische Fabel dagegen symbolisch: der Ring bedeutet bei Lessing eine Religion, beide Gegenstände werden gleichgesetzt. Der Fuchs in irgendeiner Fabel ist jedoch nicht die Schlauheit, er bedeutet sie auch nicht. Er verhält sich nur unter gewissen Umständen schlau. Dadurch ist es möglich, den Fuchs symbolisch für den Menschen zu setzen: denn auch der Mensch ist nie die Schlauheit, er kann nur unter gewissen Umständen schlau handeln. Oder: in der Fabel vom Fuchs, vom Raben und dem Käse liegt eine symbolische Geschichte vor; sie bedeutet auch ohne angehängte Lehre etwas. Lessings Parabel ist ohne Erklärung verständlich. Eine Fabel dagegen ist, wenn auch auf verschiedene Weise, ausdeutbar; man kann bei ihr – ohne daß man in eine besondere Lehre eingeweiht ist – eine andere als die erzählte Bedeutung erhellen. Die Parabel oder die reine Allegorie benötigt eine Erläuterung: niemand kann wissen, daß mit Ring eine Religion gemeint sei; es sei denn die allegorische Bedeutung wird aus dem Kontext (bei Lessing aus der Dramenhandlung) erschlossen. Wie mit der Ringparabel verhält es sich mit dem fabulosen ›Physiologus‹, dem religiösen Bestiarium des Mittelalters: ohne einen Schlüssel, eine Ausdeutung, ist der gemeinte Sinn nicht zu erschließen. Die Darstellung ist rein allegorisch; die Lehre hat den Charakter der Unterweisung eines Neophyten, sie führt in die Geheimnisse eines religiösen Systems ein.

Unter diesem Gesichtspunkt – die Fabel ist symbolisch und der

Deutung ohne Anweisung fähig – könnte die (ausformulierte) Lehre, die bei den meisten Fabeln vorhanden ist, wegfallen. (Fabeln ohne ausgesprochene Lehre finden sich bei dem Spruchdichter Herger und sonst nur vereinzelt. Bei allen bedeutenden Dichtern gehört aber zur Erzählung auch die Deutung.) Die angehängte Lehre bringt nur eine abstrahierende Verallgemeinerung des erzählten Bildes. Da die Lehre aber trotzdem vom Dichter immer angehängt wird, scheint die Erzählung schon so gebaut zu sein, daß sie ihrer bedarf oder auf sie hin tendiert. Wie aber benötigt die Erzählung die Lehre? Bei der Parabel gehört sie integrativ hinzu, sie kann nicht wegbleiben. Bei der Fabel kann sie – soweit man nur auf die Verstehbarkeit achtet – wegfallen. Die Lehre ist ein zusätzlicher Schmuck, der nicht wesentlich zur Fabel gehört, sondern die Erzählung ergänzt. Die Tiergeschichte für sich genommen, ist nicht bedeutungsleer (vgl. dagegen *Ott*). Daß die Erzählung auch ohne Lehre sinnvoll ist, zeigt sich schon darin, daß meistens eine abgerundete Handlung berichtet wird. Auch Luther, der an jede Fabel eine einprägsame Lehre hängt, hält diese für überflüssig, wenn er den Nutzen der Fabel darin sieht, daß der Leser die symbolische Erzählung selbst aufhellt und ihren zweiten, nicht explizierten Sinn selbst erfaßt (vgl. das Zitat S. 3). Die Lehre ist zum Verständnis nicht notwendig, trotzdem drängt die Erzählung zu einer Ausdeutung. Dieses Verhältnis weist auf eine Eigentümlichkeit der Fabel hin: der Bericht des fiktiven Ereignisses ist ein Fall, ein juristischer Kasus, der einen Kommentar auslöst (dazu S. 24).

Betrachtet man die Fabel im Verhältnis zum *philosophischen Naturgedicht,* wie es etwa Brockes verfaßt hat, dann wird deutlich: auch das philosophische Naturgedicht hat eine klar ausgeprägte Tendenz – wenn Brockes auf die Beste aller Welten hinweist –, es zeigt aber keine Handlung. Es beschreibt einen Zustand und ist insofern lyrisch. Die Fabel dagegen entwirft keinen Zustand, sie weist Welt in der Buntheit ihrer Möglichkeiten auf und bedient sich dabei epischer und dramatischer Mittel. Das Schema ist bei beiden Dichtungsformen gleich: Naturbeobachtung – Folgerung daraus. Die Art jedoch, wie die Beobachtung dargestellt wird, unterscheidet sich. Die Fabel ist in keinem Fall lyrisch, sie ist immer episch oder dramatisch. Weiterhin ist das Naturgedicht ›exakt‹; es versucht, die Welt nach naturwissenschaftlichen Kategorien zu beschreiben und verzichtet auf eine fabulose Verfremdung.

Eine enge Beziehung der Fabeldichter besteht auch zur *Emblemkunst*: die allgemeine Struktur ist gleich; hier wie dort geht es darum, eine Begebenheit, ein reales Verhältnis mit für den Menschen relevanten Momenten zu korrelieren. Wenn bekannt ist und festgestellt wird, daß im Nil Krokodile leben, dann ›bedeutet‹ das: berühmte Männer haben Schwächen (»Emblemata« Sp. 106). Oder: das Faktum, daß erloschenes Feuer sich schwer entfachen läßt, weist darauf hin, daß verspielte Ehre schlecht wiederzugewinnen ist (Sp. 120). Hier zeigt sich das gleiche analogisierende Denken, das auch bei der Fabel beobachtet werden kann.

Ein bedeutender Unterschied liegt in der Handlungslosigkeit der Emblemdichtung: die Fabel leitet ihre Lehre (meistens) aus einer Geschichte ab; die Texte zu den Emblemata dagegen erklären kein Geschehen, sondern einen (statischen) Sachverhalt. Hier nähert sie sich fabelartiger Literatur wie dem ›Physiologus‹; auch Lessing tendiert in diese Richtung. Auf diesem Felde des Zusammenhangs beider Literaturarten sind noch alle Fragen ungeklärt. So sind noch nicht die Wesenszüge im Vergleich untersucht; die Frage der gegenseitigen Beeinflussung ist offen, zumal wenn hier wie dort gleiche Motive auftauchen (der Löwe, der mit offenen Augen schläft: ›Physiologus‹, in: Ahd. Lesebuch, hrsg. v. W. Braune, S. 75; Emblemata, Sp. 400f.).

Literatur:

Silcher, G.: Tierfabel, Tiermärchen und Tierepos, in: Wissenschaftl. Beilage zum Jahresbericht der Königl. Oberrealschule zu Reutlingen 1904/05.

Plessow, M.: Geschichte der Fabeldichtung in England bis zu John Gay (1726), 1906. (Palaestra 52).

Martin, E.: Zur Geschichte der Tiersage im MA, in: Festschrift für Kelle, 1908, S. 273–287; auch in: Prager dt. Studien, Nr. 8.

Schulz, B.: Vergleichende Studien zum dt. Tierepos, Diss. Jena 1922.

Petsch, R.: Friedrich von Hagedorn und die dt. Fabel, in: Festschrift für Melle, 1933, S. 160–188.

Lüthi, M.: Das europäische Volksmärchen, 1947, ⁴1974; Märchen, ⁷1979 (Sammlung Metzler 16), S. 14.

Ott, K. A.: Lessing und La Fontaine. Von dem Gebrauch der Tiere in der Fabel, in: GRM NF 9, 1959, S. 235–266.

Emblemata. Handbuch zur Sinnbildkunst des 16. u. 17. Jhs, hrsg. v. A. Henkel u. A. Schöne, 1967, ²1976.

Schöne, A.: Emblemata. Versuch einer Einführung, in: DVjs 37, 1963, S. 197–231.

Tiemann, H.: Wort und Bild in der Fabeltradition bis zu La Fontaine, in: Buch und Welt. Festschrift für G. Hofmann, 1965, S. 237–260.

Albertsen, L. L.: Das Lehrgedicht, eine Geschichte der antikisierenden Sachepik in der neueren dt. Literatur mit einem unbekannten Gedicht A. v. Hallers, Aarhus 1967.

Tiemann, B.: Fabel und Emblem. Gilles Corrozet und die französische Renaissance-Fabel, 1974.
Hueck, M.: Textstruktur und Gattungssystem. Studien zum Verhältnis von Emblem und Fabel im 16. und 17. Jh., 1975.
Zur Abgrenzung von Schwank und Fabel:
Strassner, E.: Schwank, ²1978 (Sammlung Metzler 77).
Tierepik und Fabel:
Sowinski, B.: Lehrhafte Dichtung des Mittelalters, 1971 (Sammlung Metzler 103).

IV. Wesenszüge der Fabel

Zum Inventar der Fabel gehören unbelebte Naturgegenstände, Pflanzen und Tiere. Es ist zweckmäßig, andere Gruppen nicht in den literaturwissenschaftlichen Begriff miteinzuschließen: bei Lessing finden sich Erzählungen lehrhafter Art, in denen Götter als handelnde Figuren auftreten (Götterfabeln). In diesen Gedichten fehlt aber der fabulose Grundzug; dadurch, daß sie eine Lehre aussprechen, werden sie nicht zu Fabeln und dadurch, daß Götter handeln, höchstens zu Mythen, bzw. zu mythischen Erzählungen. Eine Erweiterung des Inventars führt zu einer Subsumierung der ganzen didaktischen Dichtung unter den Begriff der Fabel und dreht damit das Verhältnis um: denn die Fabel ist nur eine bestimmte Art lehrhafter Dichtung überhaupt.

Die handelnden Figuren der Fabel sind überwiegend Tiere, und zwar dem Leser bekannte: der Prosa-Romulus – die Form, in der das Mittelalter den Aesop las – beginnt mit dem Hahn; es folgen Wolf und Lamm, Maus, Frosch und Habicht, Hund und Schaf: Tiere also, die in unmittelbarer Umgebung des Menschen leben, für den die Fabel bestimmt ist. Umweltfremde Tiere tauchen in der Fabel nur selten auf: in der aesopischen ist es eigentlich nur der Löwe. Er konnte eingeführt werden, weil seine Eigenart allgemein bekannt war: er gilt als der starke Herrscher.

Die Zahl der Tiere, die in der Fabel überhaupt auftreten, ist nicht sehr groß. Wolf (Löwe), Fuchs und Esel erscheinen häufiger als Schaf, Rabe, Pferd, Bär, Hund, Hamster, Ameise. Auch treten in den einzelnen Fabeln meistens zwei, höchstens drei Tiere auf; der Figurenkatalog ist begrenzt. Dieses Merkmal weist auf den dialogischen Charakter der Fabel: eine größere Zahl an Personen würde die Handlung ausdehnen. Bei den einzelnen Motiven reichen zwei Figuren aus, um die Absicht zu demonstrieren. Wenn mehrere Tiere auftreten, werden Gruppen gebildet, so daß doch nur zwei Parteien vorhanden sind: in der Fabel von der Maus, dem Frosch und der Weihe sind zunächst nur zwei handelnde Figuren (Maus und Frosch) vorhanden; sobald der Habicht erscheint, werden die vorher Getrennten zur Einheit, indem sie das gleiche Schicksal erleiden (vgl. Steinhöwel, S. 83).

Ähnlich verhält es sich in der Fabel vom Wolf, dem Fuchs und dem Esel, die nach Rom pilgern (in Grimms Ausgabe des »Reinhard Fuchs«): zu Beginn der Fabel gibt es gleichsam nur eine handelnde Person. Wolf, Fuchs und Esel bilden eine Einheit, weil sie alle nach Rom wollen. Eine Spannung, aus der Handlung fließen könnte, ist nicht vorhanden. Im weiteren Verlauf der Fabel handeln immer nur zwei Gruppen gleichzeitig: der

Beichtende und der Absolution Erteilende. Als der Esel gefressen wird, sind auch nur zwei Gruppen vorhanden: Mörder und Opfer.

Es zeigt sich hier die Tendenz der Fabel zur Zweigliedrigkeit, zur Polarität ihrer Figuren. Mehr als zwei Glieder – also Vertreter einer Handlung, die thesenhaft verdichtet in der Lehre ausgedeutet wird – gibt es in den vorhandenen Fabeln nicht. In dieser äußeren Erscheinung der Zahl der handelnden Figuren wird das innere Bauprinzip der Fabel deutlich: Gegenüberstellung bestimmter Thesen, von denen eine verifiziert, die andere als weltunklug bzw. als unmoralisch, unreligiös, unsozial dargestellt wird.

Auch bei den wenigen Pflanzen- und Dingfabeln läßt sich diese Erscheinung nachweisen; so handeln etwa nur Tanne und Rohr, aber nicht mehrere Tannen. Der dritte Partner ist überflüssig, die Demonstration benötigt nur zwei.

Neben eine geringe Zahl an handelnden Figuren und einen verhältnismäßig kleinen Katalog an Tieren überhaupt, tritt als drittes Element die Typisierung der Figuren. Jacob Grimm hat auf diese Eigenart der Fabel hingewiesen. Er bemerkt, daß der Fuchs rot, schlau, jung ist, daß er als Ratgeber fungiert. Der Wolf zeigt andere Merkmale; er ist grau, gefräßig, wild (S. XXIV ff.). Die einzelnen typischen Züge werden weitgehend beibehalten; sie sind konstant. Zumindest werden sie nie umgekehrt: der Fuchs ist nicht dumm und der Esel nicht schlau. Eine gewisse Breite des figuralen Charakters zeigt am ehesten der Löwe: im ›Physiologus‹ wird er am höchsten gewertet, er vertritt Christus. In der aesopischen Fabel kann er als unersättliches Raubtier oder als gewaltiger, aber gerechter Herrscher auftreten (dazu: Arendt, 1981).

Für die Fabeldichtung ändert sich nichts, wenn diese Typen schon vorhanden sind, bevor die Dichtung einsetzt, wenn der erste Dichter auf sie zurückgreifen konnte, weil sie mündlich vorgeprägt waren. Möglich ist auch, daß eine bestimmte Vorstellung von der Art eines Tieres erst durch die dauernde Wiederholung entstand, daß die Fabel den Typ, den sie für die Argumentation benötigt, selbst geschaffen hat. Auf jeden Fall ist es so, daß der Fuchs in seinem Verhalten vertraut ist, weil er in der Fabel einen typischen, d. h. einfachen Charakter hat und weil dieser von den Dichtern immer wieder hervorgehoben wird. Nur dadurch, daß der Fuchs in jeder Fabel als der Schlaue erscheint, bleibt sein Bild erhalten.

Die Fabel gewinnt durch diese Typisierung einen festen Bestand an Figuren. Die Kombination bestimmter Typen ergibt dann schon ein Handlungsgerüst: der schlaue Fuchs und der dumme Bock kommen zusammen. Allein diese Konstellation weist auf die Art der Handlung hin: der Fuchs wird etwas – was ergibt sich durch den spezifischen Inhalt der Erzählung – an dem Bock demonstrieren. Die Handlung ist bei der Fabel in der Tat etwas Sekundäres, sie wird durch die feststehenden Charaktere bestimmt.

Dabei darf nicht übersehen werden, daß mit dem angeführten Typ nur ein Teil der Fabeln bezeichnet ist; es sind die Charakterfabeln: Handlungen, bei denen Tiertypen im Mittelpunkt stehen und das Geschehen bestimmen, so bestimmen, daß man den Ausgang schon nach der Exposition, der Vorstellung der Handelnden, kennt.

Daneben gibt es eine große Zahl von Fabeln, in denen untypische Tiere auftreten: die Maus, der Frosch etwa haben keinen festen Charakter in der Fabel wie der Fuchs. Sie sind farblos, blaß. In solchen Fabeln gewinnen daher Handlung, Situation oder Umstände eine entscheidende Bedeutung: das Schicksal greift ein und spielt mit der profillosen Figur. Mit dem Löwen, dem Fuchs spielt niemand; mit dem Esel wird nur gespielt, weil das seine typische Rolle in der Fabel ist. Die vielen untypischen Tiere jedoch unterstehen der Macht der Handlung. Beispielhaft für diese Form der Schicksalsfabel ist »Vom Frosch, der Maus und der Weihen« (bei Steinhöwel S. 83). Hier ist keines der Tiere profiliert im Sinne eines Types; die Handlung entsteht allein aus der Situation.

Bei beiden Variationen der Grundform ist jedoch die Absicht gleich: ein Vorgang wird geschildert (Information), eine Deutung angehängt (Interpretation). Es sind also zwei Aspekte zu unterscheiden: der informierende und der interpretierende. Beides läßt sich zusammenfassen unter dem Gesichtspunkt der Demonstration. Keine dichterische Form hat es so entschieden darauf abgesehen, etwas zu beweisen, wie die Fabel. Für dieses Phänomen ist unwichtig, ob die Fabel Vorformen hatte, denen der Charakter der Demonstration fehlte (wie Grimm wollte), oder ob es Fabeln gibt, in denen das Demonstrierte so, wie es formuliert wird, nicht aus der Geschichte folgt: immer will die Fabel etwas beweisen. Daß der Beweis oft nicht glückt oder daß etwas anderes, als in der Geschichte liegt, herausgelesen wird, ändert nichts an der Absicht. Es ist unwichtig, wie ein Satz, der durch eine Geschichte bewiesen werden soll, inhaltlich beschaffen ist (vgl. den Gegensatz Lessing--Herder). Unwichtig ist auch, ob er durch Abstraktion (Hegel) oder durch Analogiebildung (Herder) deutlich wird, um in einem bestimmten Fall Anwendung zu finden. Die Fabel ist dreiteilig: es gibt die Erzählung (1) und als Brücke gleichsam die Lehre (2) – als Brücke nämlich zu dem Fall, der im Leben des Lesers vorliegt (3) oder vorliegen kann. Diese Dreigliedrigkeit der Fabel beweist erst ihre Tendenzhaftigkeit. Die Fabel ist nicht nur ohne Lehre oft unvollständig, sie ist auch nicht vollständig, wenn man die vielen Fälle nicht sieht, denen sie analog ist, in denen ihre Lehre Anwendung finden soll. Zur Fabel gehört ein Anwendungshorizont, eine große Zahl von Möglichkeiten je praktischer Verwendung der Lehre.

In diesem Zusammenhang ist zu fragen, wie sich Erzählung und Lehre verhalten, ob etwa die Lehre fehlen kann und ob die Fabel dann immer noch demonstriert oder zur reinen Erzählung ohne Tendenz geworden ist. Es wäre auch möglich, daß die Fabel ohne Deutung zum Rätsel wird, daß also Erzählung und Lehre sich ergänzen, dadurch daß die letztere die erste aufschlüsselt. Es scheint so zu sein, daß die Lehre eine Ergänzung zur Erzählung bildet. Die Erzählung ist oft knapp, so knapp, daß sie ohne Lehre zwar nicht unverständlich, aber bedeutungslos wird; man sieht nicht genau ein, wozu sie dienen soll: denn als kleine abgerundete Erzählung kann sie nicht gelten, dazu müßte sie episch breiter ausgestaltet sein; als Bericht befriedigt sie nicht. Man erwartet noch eine Einordnung der kleinen Erzählung in einen größeren Zusammenhang. Durch die Lehre wird diese Einordnung vollzogen, die Form geschlossen. Die Erzählung selbst ist so konstruiert, daß sie einer Entscheidung von einer höheren Stelle aus bedarf. Die polar entgegengestellten Meinungen und Verhaltensweisen fordern – obgleich die Entscheidung durch die Handlung vollzogen wird – trotzdem noch ein Urteil, einen Richtspruch. Durch diesen klärenden Spruch wird das Geschehen objektiviert, also in einen größeren Zusammenhang eingeordnet; gleichzeitig wird der Bezug auf viele andere noch geschehende Fälle erleichtert.

Die *Anthropomorphisierung* ist ein weiteres Merkmal der Fabel. Verschiedentlich wurde sie als das wichtigste Kriterium angesehen (Winkler), dann als grundlegende Voraussetzung betrachtet (Herder). Mit dem Wort ist eine Erscheinung gemeint, die nicht nur bei der Fabel zu beobachten ist; sie ist immer dann vorhanden, wenn der Mensch Welt aufnimmt, sie entsteht in der Rezeption. Gemeint ist nach dem Wortsinn die Vermenschlichung eines nichtmenschlichen Bereiches. Für die Fabel heißt das: das nur für den Menschen Typische wird übertragen auf Tiere, und zwar so, daß die tierischen Eigenschaften entweder überformt werden (wenn ein Hund bellend redet) oder daß sie erhalten bleiben, daß also die neue menschliche Verhaltensweise hinzutritt (wenn ein Hund bellt und redet).

Jacob Grimm hat diesen Vorgang folgendermaßen umschrieben: »Einmal muß sie die thiere darstellen als seien sie begabt mit menschlicher vernunft und in alle gewohnheiten und zustände unseres lebens eingeweiht [. . .] Dann aber müssen daneben die eigenheiten der besonderen thierischen natur ins spiel gebracht und geltend gemacht werden« (»Reinhard Fuchs«, S. VII). Grimm sieht in dieser integrativen Vereinigung von menschlicher und tierischer Eigenschaft das wesentliche Merkmal der Fabel.

Begrifflich läßt sich diese Integration als eine Stufung der Vermenschlichung fassen: Am untersten stehen Fabeln, in denen sich die Tiere vollkommen ihrer Art gemäß verhalten, also keine menschlichen Eigenschaften zeigen. Hierher zählt die Fabel vom Hund und dem Stück Fleisch (Steinhöwel, S. 85). Der Hund benimmt sich wie ein Tier seiner Art; er redet nicht, hat vielmehr nur Hunger, den er zu stillen versucht. Aus diesem ganz tierischen Bedürfnis resultiert die Handlung. Erst durch die Beschreibung des Vorgangs tritt eine gewisse Anthropomorphisierung ein, wenn nämlich dem Hund unterschoben wird, er denke an den Gewinn des größeren Stückes; aber der Hund denkt nicht, sondern er lebt nur nach seinen Instinkten.

Auf der zweiten Stufe der Anthropomorphisierung wird nicht mehr nur der Vorgang, der an sich neutral ist, unter menschlichem Gesichtspunkt, d. h. mit für den Menschen geltenden Worten dargestellt, sondern im Vorgang selbst ist ein menschliches Element vorhanden. Hierher gehören Fabeln, in denen Tiere gewisse technische Fertigkeiten besitzen. In der Fabel von dem Frosch, der Maus und der Weihe knüpfen die Maus und der Frosch eine Schnur; sie verrichten also eine Handlung, die sie als Tiere nicht ausführen können (vgl. Steinhöwel, S. 83). Sie besitzen als Figuren der Fabel mehr Eigenschaften als das Tier der Natur.

Dadurch, daß die Tiere auch menschliche Eigenschaften besitzen, werden die Tiere aber nicht eigentlich anthropomorphisiert: diese Bezeichnung gilt nur, sofern man die Bewegung von dem reinen Tier der Natur zur Figur der Fabel bezeichnen will. Sobald ein Tier in der Fabel erscheint, ist es dem menschlichen Bereich integriert; es ist in diesem Sinn kein Tier mehr.

Diese Integration läßt sich an den einfachsten Indizien bemerken. Die Henne in Luthers erster Fabel denkt, als sie die Perle gefunden hat: »Wenn dich ein Kaufmann fuende / der wuerde dein fro« (S. 23). Sie beweist also, daß sie in einem sozialen Kontext steht; sie ist Mitglied einer Gesellschaft, zu der auch der Kaufmann zählt: in ihr erfüllt sie eine bestimmte Funktion. Die Henne ist durch ihre Aufgabe dem menschlichen Bereich integriert. In der »bîhte« des Stricker fahren Wolf, Fuchs und Esel nach Rom, um zu beichten. Sie besitzen also eine Seele; sie sind getauft. Hier ist die Integration in den menschlichen Bereich vollständig vollzogen.

Die Tiere sind Wesen wie die Menschen. Erst durch den Vorgang der völligen Parallelisierung des Tieres und des Menschen können die Tiere ihre Aufgabe innerhalb der Fabel erfüllen: sie werden zur Person, d. h. zum Wesen, das Verantwortung trägt, das schuldig wird und dafür büßen muß.

Die Fabel zeichnet also gemeinhin Tiere, die ihre natürlichen Eigenschaften beibehalten: der Wolf und der Fuchs fressen den Esel, sie sind daneben aber moralische Wesen. Wie gut die Integration vollzogen ist, zeigt sich darin, daß Menschen in die Handlung eingreifen, die an der Sprechfertigkeit der Tiere nicht den geringsten Anstoß nehmen.

Diese letzte Stufe der Anthropomorphisierung gilt nur für die moralische Fabel. Für die Fabel, die Lebensklugheit vermittelt, ist es nicht nötig, daß das Tier zur Person wird. Hier genügt die erste und zweite Stufe: die Vermenschlichung durch die Beschreibung und die Ausstattung des Tieres mit menschlichen Fertigkeiten.

Bei allen Fabeln aber ist das vorhanden, was *Winkler* die »Wirklichkeitsillusion« nannte: sie arbeitet mit fiktiven Handlungen, denen sie den Anschein tatsächlicher Vorgänge gibt. Diese Erscheinung läßt sich bei jeder Erdichtung beobachten, insofern kann man von Wirklichkeitsillusion der Dichtung überhaupt sprechen. Für die Fabel ist jedoch typisch, daß sie einen real unmöglichen Fall als wirklich schildert. Für sie ist also die Möglichkeitsillusion bzw. die Wirklichkeitssuggestion typisch: der Fabeldichter erzählt eine Geschichte, die er erfunden hat und die der Leser für real unmöglich hält. Trotzdem wird sie so dargestellt, als sei sie geschehen, und trotzdem werden aus ihr Folgerungen gezogen, die gelten sollen. Mit dieser Erscheinung ist das Fabulose umschrieben. Aus einer real unmöglichen Geschichte werden real gültige Folgerungen gezogen. Das bedeutet, daß die Erzählung als Fall anerkannt wird, an dem etwas aufgezeigt werden soll. Die Wahrheit im Sinne des tatsächlichen Geschehens fehlt, dafür erscheint die innere Logik einer Erfindung, die durch die Macht ihrer höheren (poetischen) Wahrheit überzeugt, die nicht der Beglaubigung durch die Realität bedarf. Die Fabel wird durch diesen Vorgang zweifach gebrochen oder verfremdet: einmal rein vordergründig durch das wunderbare, doch vertraute Inventar und dann innerlich durch ihre Haltung: an einem menschenfernen Gegenstand wird ein (für das Verhalten des Menschen gültiger) Satz demonstriert. Man hält die Wahrheit von sich weg, um sie von allen Seiten beurteilen zu können. Hier wird das Fabulose an zwei Erscheinungen deutlich: an der Verfremdung durch die Demonstration einer Einsicht an einem menschenfernen

Gegenstand und durch die Beglaubigung eines real gültigen Satzes durch eine real unmögliche Geschichte. Die Fabel ist in ihrem Kern ein Paradoxon; stilistisch äußert sich diese Erscheinung in der Verfremdung durch das Inventar und durch die ironische Haltung.

Eine gewisse Problematik bleibt noch bei Fabeln vom Typ der Lutherischen »Neuen Fabel Aesopi« von der Königswahl der Tiere (vgl. Werke, Bd. 26, S. 534–554). Hier ist schon bei der Konzeption eine allegorische Gleichsetzung vollzogen: der Esel ist der Papst. Die Erzählung bedient sich der Tiere als Requisit, so wie eine Tragödie hohe Personen und eine Komödie niedere Personen auf die Bühne zu bringen pflegte. Die Tiere stehen nicht in einer natürlichen Umwelt. Der »philosophierende Esel« ist Wirklichkeit geworden. Er lebt nicht nach seinen natürlichen Anlagen. Brächte man dieses Faktum in Ansatz, ergäbe sich ein Kriterium für die Beurteilung der Fabeln: eine echte Fabel läge vor, wenn eine Geschichte erzählt wird, in der keine umweltfremden Requisiten auftauchen. Die Philosophie ist ein Requisit, das der Umwelt des Esels fremd ist. Das Requisit »Lasten tragen« aber paßt in seine Welt. In der Lehre dagegen – die ja als reflektierende Bemerkung des Autors gedacht ist – könnten diese dem Esel ungemäßen Requisiten auftauchen, denn hier spricht ein Mensch. Bei denjenigen Fabeln jedoch, wo innerhalb der Erzählung schon Requisiten auftauchen, die nicht in die geschilderte Welt passen – wo also umweltfremde Elemente durch den reflektierenden Erzähler eingeblendet werden –, fände eine gewisse Dehnung des so definierten Fabelschemas statt: eine geschlossene Erzählung, der eine reflektierende Belehrung folgt, wäre nicht vorhanden. Die Erzählung ist schon Ergebnis eines Abstraktionsprozesses: einzelne Tiere sind nicht nur bestimmte Typen des Tierreiches, sondern schon Typen der menschlichen Gesellschaft bzw. sogar Individuen (wie der Papst bei Luther oder ein bestimmter Herrscher bei Pfeffel). Sobald der Löwe aber von den Tieren zum König gemacht wird, fände eine Auflösung statt: sowohl im Tierepos als auch in den politischen Fabeln. Sobald menschliche Verhältnisse in die Handlung projiziert werden, wäre der begrenzte Bereich der aesopischen Fabel überschritten.

Die Frage lautet also, ob die Anthropomorphisierung so weit gehen kann, daß die Fabelform gesprengt wird. Eine Analyse der angeführten Fabeln ergibt, daß das nichtfabulose (nämlich satirische) Moment bei Luther und bei politisch-revolutionären Fabeldichtern wie Pfeffel nicht durch die Vermenschlichung entsteht: denn hier werden immer nur bestimmte, jedoch nicht wesentliche Verhältnisse des menschlichen Bereiches ins Tierreich projiziert.

Beim Stricker liegen echte symbolische Fabeln vor, und trotzdem ist der Grad der Anthropomorphisierung größer: die Tiere besitzen Seelen und sind sich auch dessen bewußt.

Die unfabulose Wirkung bei den allegorisierenden Fabeln entsteht nur dann, wenn in der Erzählung schon – die Lehre bleibt hier außer Betracht – »so-wie« Bezüge hergestellt werden: wenn der Löwe immer schon dieser und nur dieser Herrscher ist. Die Zeitbezogenheit sprengt die Form, nicht der Grad der Anthropomorphisierung. Daraus folgt weiter: die Fabel, in der das Fabulose dominiert, verschwindet in dem Moment, wo satirische Elemente in den Vordergrund treten, die mit dem Zeitbezogenen verbunden sind; d.h. andererseits, daß es Mischtypen gibt, in denen fabulose und satirische Elemente vorhanden sind. Je nach dem Übergewicht wird es sich um eine Fabel oder um eine Satire handeln. In diesen Fällen wird deutlich, wie eine Gattung durch eine andere (Fabel durch Satire) verdrängt wird. Bei der Untersuchung, was gerade vorliegt, können nur alle Momente, die sich zum Fabulosen bzw. zum Satirischen zusammenfügen, angesetzt werden, nie nur ein Teil.

Literatur:

vgl. die unter Kap. II angeführte Literatur.
Doderer, Kl.: Fabeln. Formen, Figuren, Lehren, 1970, 5. erw. Aufl. 1979 (dtv).
Dithmar, R.: Die Fabel. Geschichte. Struktur. Didaktik, ³1977.
Arendt, D.: Die Fabel vom Löwen im Wandel der Jahrtausende, in: Stimmen der Zeit 199, 1981, S. 181–192.

V. Formale Variationen der Fabel

Der Form nach gibt es zwei Möglichkeiten der Fabel. Die eine, die *Dramatisierung*, ist am entschiedensten bei *Willamov* (1736–1777) ausgebildet; die andere, die *Episierung*, bei *Alberus* (ca. 1500–1553).

1. Dramatisierung

Das Kennzeichen der dramatisierten Fabelform ist die Auflösung der Handlung in Gespräch. Es geschieht eigentlich nichts mehr; es wird nichts erzählt, es wird nur noch gesprochen. Die verallgemeinernde Lehre wird vom Tier selbst verkündet: in der streng dialogisierten Fabel ist nur dieser Weg möglich. Daneben findet sich die Lösung, daß eine allgemeine Belehrung angehängt wird: sie ist dann typographisch (etwa durch einen Stern) von der Erzählung getrennt und wird von dem – in der Fabel selbst ganz zurücktreten den – Dichter ausgesprochen.

Die dialogisierte Form zeigt besonders deutlich das Grundschema jeder Fabel: Exposition – Konflikt (= Problem) – Lösung (= Lehre). Die Exposition stellt die Handelnden vor und lenkt auf die spezielle Problemlage hin. Der Konflikt bedeutet die Gestaltung dieses Problems oder die Gegenüberstellung zweier Verhaltensweisen. Die Handlung, in der das Problem verwirklicht wird, ist dabei so gestaltet, daß die eine Verhaltensweise als die unterlegene hingestellt wird. Die Lösung liegt mit dem Ende der Handlung vor. Trotzdem wird noch eine Entscheidung angehängt. Die Lehre bestätigt in allgemeiner Weise die Aussage des Bildes.

2. Episierung

Die dialogisierte Fabel erzählt nur das Wichtigste, sie tendiert zur Stichomythie. Ihr polar gegenüber steht – was die äußere Erscheinung angeht – die episierende Fabel, die den Sachverhalt breit erzählt.

Bei *Alberus* beginnt die erste Fabel »Vom Hahn und der Perle«:
>»Bey Dantzig wont ein reicher man
>Auff einem hof, da war ein Han,
>Der gieng umbher, und scharr im mist,
>Wie dann der hüner gwonheit ist,
>Und pflegen stets auff solche weiß,
>Im mist zusuchen ihre speiß.
>Wie nun der Han sicht auf ein seit,
>Kaum eines halben Hanschritts weit,
>Eins edelgsteins wirdt er gewar« (S. 21)

Dieselbe Stelle heißt bei *Luther*: »Ein Han scharret auff der Misten / und fand eine koestliche Perlen« (S. 23). Luther hat das gleiche Ereignis wie Alberus erzählt, trotzdem benötigt er ungleich weniger Raum. Hier wird nicht nur ein individueller Unterschied zwischen beiden Bearbeitern deutlich, es zeigen sich auch zwei grundlegende Arten der Verwirklichung der Fabel.

Zunächst: Was erzählt Alberus mehr und welche Wirkung ruft er damit hervor? Er lokalisiert die Fabel, indem er sie bei Danzig spielen läßt. Nur selten greifen die Fabelbearbeiter zu diesem Mittel, meistens spielt die Fabel an einem zeitlich und räumlich unbestimmten Ort. Wenn jedoch Wert darauf gelegt wird, eine ausführliche, plastische Schilderung zu geben, muß die Lokalisierung als geeignetes Mittel erscheinen. Ob mit ihr außer der reinen Episierung eine weitere Funktion erfüllt wird, wäre zu untersuchen. Der Dichter könnte eine realistische Fiktion beabsichtigen. Oben wurde gesagt, daß die Fiktion der Wirklichkeit zwar zur Fabel gehöre, ebenso aber das Bewußtsein um die Fiktivität der Handlung. Es ist also nicht anzunehmen, daß Alberus durch die Ortsnamen die Beweiskraft seiner Fabel steigern wollte; er konnte nicht damit rechnen, daß der Leser durch die Lokalisierung von der Tatsächlichkeit des Geschehens überzeugt werde. Die Ansiedlung einer Fabel an einem bestimmten Ort kann vielmehr nur als poetischer Schmuck verstanden werden, als individuelle Ausgestaltung des starr vorgegebenen Motivs. Hierher zählen auch Ergänzungen, die sich aus der näheren Beschreibung eines Gegenstandes ergeben, etwa wenn Alberus den Wert des Edelsteins angibt: »Einer dunn Golds war er wol werdt«.

Die Erweiterung des traditionellen Motivs durch die Episierung hat eine formimmanente Funktion; sie soll die Erzählung als solche, ob sie nun real gedacht wird oder nicht, in sich stimmiger machen: das zeigt sich an der Ergänzung »wont ein reicher man«. Mit dieser Erweiterung wird deutlich erklärt, woher der Edelstein kommt. Bei *Luther* – und bei allen, die den Reichtum des Hahnbesitzers nicht hervorheben – liegt er unmotiviert auf dem Mist. Ein unbefangener Leser wird fragen, woher denn der Stein stamme. Wenn jedoch erwähnt wird, daß ein reicher Mann bei dem Mist wohnt, ist der Fund des Steines – durch eine epische Vorausdeutung gleichsam – motiviert. Diese bessere Motivierung der einzelnen Erzählzüge läßt sich bei episch breit angelegten Fabeln immer nachweisen; blinde Motive finden sich nur wenig. Die dialogische Fabel gestaltet hauptsächlich den Konflikt, eine Ausgestaltung der Wirklichkeit ist nicht nötig, denn das Problem liegt auf einer geistigen Ebene. Die episierende Fabel legt neben der Ausbreitung des Konflikts Wert auf die Stimmigkeit des ganzen Berichts. Es wird eine kleine, in sich geschlossene Welt vorgestellt.

Durch die Episierung können einzelne Nebenwirkungen auftreten: etwa die *Humorisierung* der Erzählung. Wenn Alberus den Fund beschreibt, dann bemerkt er, daß der Hahn auf die Seite sieht und »kaum einen halben Hahnschritt weit« den Stein entdeckt. Die Entfernungsangabe »ein halber Hahnschritt« ist zweifellos humoristisch. Die epische Fabel kann sich diese Digressionen leisten, besonders wenn sie in die Erzählung integriert sind. Im angeführten Beispiel entsteht kein Bruch, weil der Dichter ganz im Bild bleibt und keine dem Hahn fremden Maßstäbe einführt. Die humoristische Gestaltung bewirkt ihrerseits, daß das Unwahrscheinliche des Vorgangs – ein Hahn findet eine Perle auf dem Mist – glaubhafter wird: die Handlung wird von einem ironisch gebrochenen Standpunkt aus betrachtet.

Schließlich kann, wie das bei Alberus geschehen ist, durch die breite Episierung ein (kritischer) Zeitbezug hergestellt werden.

3. Versifizierung

Es hat wenig Sinn, die einzelnen Versmaße zu betrachten, in denen Fabeln verfaßt wurden. Man erhellt damit nicht die Fabel, sondern beschreibt Verse. Hier kann nur darauf hingewiesen werden, welche Bedeutung grundsätzlich die Versifizierung für die Fabel hat. Das Problem ist, ob und wie der Vers die Form der traditionellen Motive ändert.

Das gleiche Motiv in Prosa und in Versen hat einen je eigenen Charakter, der von der äußeren Form nicht unwesentlich geprägt wird. An den oben zitierten Texten von Alberus und Luther zeigt sich eine Wirkung, die die Versifizierung mit sich bringt: die Episierung. Eine Prosafabel kann auch die Merkmale der Episierung tragen; die Prosa an sich hat keine Tendenz gegen eine Episierung. Die Fassung in Versen aber ergänzt von sich aus eine Reihe von Details. Die Versifizierung bewirkt eine Poetisierung, insofern als eine buntere, an Einzelheiten reichere Welt dargestellt wird. Mit ihr erscheinen auch die blinden Motive, etwas was die Kurzform der Fabel eigentlich nicht verträgt.

Bei *Steinhöwel* heißt es in der zweiten Fabel: »Ain wolff und ain lamp, baide durstige, kamen an ainen bach, allda ze trinken«. *Waldis*, der diese Fabel versifiziert, schreibt:

>»Ein wolf het glaufen in der sonnen
>Und kam zu einem külen bronnen.
>Als er nun trank, sich weit umbsach. . .«
>(Tittmann, Bd 1, S. 13).

Erst in der vierten Verszeile gelingt Waldis die Einführung des Schafes und des Bachs (durch den Reim auf »umbsach«). Damit erst ist die überlieferte und angestrebte Form der Situation erreicht. Die zweite Verszeile (die Einführung des Brunnens) bedeutet ein blindes Motiv, sie ist überflüssig und nur durch den Reim auf »sonnen« bedingt. Sonne aber war nötig, um den Durst des Wolfes zu motivieren. Die Prosafassung bei

Steinhöwel berichtet kurz im ersten Satz den Sachverhalt: sie motiviert allerdings nicht den Durst, sondern stellt ihn nur fest. Bei Waldis wird als Folge der Episierung der Durst motiviert. Diese Motivation erzwingt wegen des Reimes eine unnötige Ergänzung: der Wolf muß erst vom Brunnen weggeholt und zum Bach gebracht werden. Denn beim Brunnen kann er nicht bleiben, weil dann die Pointe der Fabel verlorenginge: der Vorwurf, das Schaf verschmutze das Wasser. Damit entfiele aber die Beweiskraft der Fabel.

Man kann zwischen der episierten und der versifizierten Fabel berechtigte Unterschiede aufzeigen: die episierte Form ist in sich trotz aller Digressionen geschlossen; jede Ergänzung kann als sinnvolle Motivierung der einzelnen Züge der Erzählung gefaßt werden. Die nur versifizierte Fabel dagegen kann eine Reihe von blinden Motiven aufweisen, deren Notwendigkeit im Gesamtaufbau der Erzählung nicht überzeugt und deren Funktion zumindest nicht auf die Verfolgung einer Tendenz ausgerichtet ist.

Gerade deshalb hat *Lessing* wohl gegen die Versfabeln polemisiert: er sah eine Gefahr für die dichterische Form und glaubte, daß durch den Gebrauch der Prosa jede von der Idee ablenkende Ausmalung vermieden werden könne.

4. Linearität in der Prosafabel

Die vorhandenen Fabeln jedoch sind überwiegend in Versen verfaßt; eine mögliche Ablenkung wurde von den einzelnen Dichtern nicht für wesentlich, zumindest nicht für gefährlich für die Form der Fabel gehalten. Das heißt aber: die Fabel tendiert zum Vers. An Prosafabeln gibt es in deutscher Sprache die Übersetzungen aus der Zeit des Humanismus von Ulrich *von Pottenstein*, Antonius *von Pforr* und *Steinhöwel*. Sie bieten für das Typische der Fabel nur insofern Material, als sie eine getreue Übersetzung des Originals sind. Man hält sich also besser, wenn man von ihnen etwas ableiten will, an ihre Vorlage. *Luther* und *Lessing* haben in deutscher Sprache Bearbeitungen, freie Umformungen und von ihrer Person geprägte Prosagestaltungen geliefert. An ihnen läßt sich daher über die Prosafabel etwas erkennen. Sieht man von dem Individualstil der beiden Dichter ab, dann ergibt sich für die Bedeutung der Prosa in der Fabel: sowohl Luther wie Lessing schreiben ihre Fabeln in einer gedrängten, nüchternen und wenig geschmückten Prosa. Die Kürze liegt für beide im Wesen der Fabel. Das Schema Beispiel (Erzählung) – Lehre (Ausdeutung) ist bei ihnen deutlich ausgebildet, jede Abschweifung wird vermieden. Insofern kann man von der Linearität der Prosafabeln sprechen.

Diese Tendenz läßt sich auch bei den Fabelautoren des 19. und 20. Jh.s beobachten, die signifikant Prosa bevorzugen.

Literatur:

Steinhöwel s. S. 61; *Luther* s. S. 63; *Alberus* s. S. 64 und *Waldis* s. S. 65.
Willamow, J. G.: Dialogische Fabeln in zwei Büchern, 1765.

Das Problem besteht darin, aufzuzeigen, wie eine bestimmte Tendenz die äußere Erscheinungsweise der Fabel bestimmt. Die formalen Variationen, unter denen die Fabel wirklich werden kann, sagen noch nichts über die Stilzüge, die innerhalb der einzelnen Verwirklichungen auftreten können. Am besten läßt sich der Stil einfangen, indem man ihn vom Zweck der Form her bestimmt. Die Intention des Dichters ist entscheidend für den Grundton des Werkes. Gerade bei der Fabel, die immer einen Zweck verfolgt, läßt sich vom angestrebten Ziel her die Grundeinstellung des Werkes bestimmen.

1. Belehrender Stil

Im Laufe der Entwicklung der Fabel sind verschiedene Stilzüge aufgetreten, die in sich nochmals variieren: sofern die Fabel belehrend ist, kann sie religiös, moralisch oder lebensklug sein.

Der ›Physiologus‹ kann als Typ der belehrend-religiösen Fabel gelten. Er ist allegorisch, d. h. er läßt keinen Zweifel an dem, was er aussagen will. Er setzt Zeichen und Bezeichnetes in eindeutige Beziehung. Das Gemeinte (etwa die Trinität Gottes) kann in sich geheimnisvoll oder nur symbolisch faßbar sein: der einzelne Bezug wird deutlich hergestellt. Der ›Physiologus‹ nutzt nicht die klassische (aesopische) Typologie; er hält sich an den jeweiligen Sachverhalt, um seine Lehre zu demonstrieren. Die Sache wird dabei knapp und gleichsam wissenschaftlich berichtet und dem religiösen Inhalt gleichgesetzt. Eine erzählerische Ausgestaltung fehlt gänzlich. Darauf kam es dem Schöpfer des ›Physiologus‹ nicht an: sein Ziel der Belehrung über jenseitige Dinge benötigt die Verhältnisse dieser Welt nur als Anschauungshilfe. Die Welt ist unwichtig, deshalb hat der ›Physiologus‹ auch keine Handlung.

Jede Fabel, die auf religiöse Belehrung Wert legt, wird eine Zurückdrängung der Welt zeigen. Anstatt der epischen Ausbreitung einer Handlung wird sich die Verdeutlichung des religiösen Dogmas finden. Unter diesem Gesichtspunkt ist der ›Physiologus‹ der extreme Vertreter des religiös-belehrenden Stiles: alle seine formalen Eigentümlichkeiten empfängt er von dieser Tendenz.

Ganz anders verhält es sich mit der Fabel, die – ohne bestimmte religiöse Belehrung zu bezwecken – belehrend im allgemeinen *moralischen* Sinn ist. Sie legt bewußt Wert darauf, die Welt zu zeigen, denn das moralische Handeln soll sich in ihr bewähren.

Die Fabelbearbeitungen *Steinhöwels* bieten typische Bilder dieser Stilrichtung. Die Lehre ist bei ihm meistens moralisch bestimmt: »Dise fabeln söllen ouch die fräßigen merken, die von der guoten schlekmal willen vil ieres guotes verzeren« (S. 113), oder »Der mensch sol syn gemüt also stellen, das er der bösen worte nit gelouben wölle« (S. 114), »niemand sol das alter verachten« (S. 118). Die Handlung wird ganz bewußt durch verbale Bezüge auf die Lehre ausgerichtet. Der Leser wird darauf hingewiesen, daß die Geschichte nur zum Zweck der Belehrung gedichtet wurde. Handlung und moralischer Satz werden durch eine formale Wendung verbunden: »Als dise fabel uns under wyset« (S. 121).

Die Handlung muß in sich sinnvoll sein, anders als bei der religiös-belehrenden Fabel, die nur dogmatisch geltende Sätze verdeutlicht. Denn die moralische Fabel will erst die Gültigkeit der Lehre beweisen. Dazu ist nur die innere Richtigkeit der Erzählung, aber keine tatsächlich geschehene Handlung nötig. Die innere Logik besteht darin, daß der Vertreter einer ethisch nicht richtigen Handlung Schaden erleidet: in der fünften Fabel des dritten Buches erzählt Steinhöwel die Geschichte von dem Habicht, der die Jungen der Nachtigall frißt und dann vom Vogler gefangen wird. Der Leser sieht ohne Überlegung, daß die böse Tat schlimme Folgen hat. Durch die anschauliche Wirkung des Beispiels wird die Gültigkeit der Lehre gesichert. Das Problem der Wirkung der Fabel ist mithin psychologisch zu fassen: sie beeinflußt zwei Gruppen von Lesern. Einmal die Reflektierenden: sie sehen die Fiktivität der Lehre ein, lassen sich aber durch den analogen Wahrheitsgehalt überzeugen. Auf sie besonders ist die abstrahierte Lehre zugeschnitten. Daneben gibt es die naiven Leser, die das Geschehen der Fabel, wie das des Märchens, für wahr halten und deshalb die Lehre annehmen.

Obwohl die moralische Fabel Welt darstellen muß, kann die Handlung selbst farblos und ohne Spannung sein. In der angeführten Fabel wird nur die Untat des Habichts und seine Gefangennahme berichtet, ohne daß dabei Wert auf eine verdichtende Ausgestaltung gelegt würde: eine Episierung fehlt gänzlich. Die Bestrafung des Untäters wird nur durch einen knappen Bericht verdeutlicht.

Die moralisierende Fabel tritt mit einem Anspruch an den Leser heran; die Lehre soll befolgt werden. Die Fabel, die *lebenskluge* Sätze vermittelt, verzichtet auf diesen autoritären Anspruch; sie wirkt nur beratend. Ihre Lehre wird befolgt, weil die Nichterfüllung materiellen Schaden bedeutet. Typisch für diesen Stiltyp ist *Gellert*: Erzählung und Lehre sind – auch typographisch – getrennt. Die Lehre erscheint als eine freiwillige Zugabe des Autors, sie wird nicht formal mit der Erzählung verbunden. Von einem belehrenden Anspruch spürt man innerhalb der Erzählung nichts. Die Handlung ist so gestaltet, daß es unklug wäre, ihre Wahrheit nicht anzunehmen. Die Fabel, die Ratschläge der Lebensklugheit erteilt, kann den apodiktischen Ton vermeiden, weil die vitale Interessensphäre, die sie anspricht, sich ohne Aufforderung durchsetzt.

2. Kritisierender Stil

Die belehrende Fabel zeigt durchgehend einen pädagogischen Stil: die Unterweisung des Lesers steht im Mittelpunkt. Die Erzählung ist daher instruktiv, klar und ausführlich. Sie zwingt nicht, sondern will beweisen. Die Fabel, bei der Kritik als erkennbare Tendenz vorhanden ist, unterscheidet sich schon in der Gestaltung der Erzählung von der belehrenden Fabel; der Ton ist schärfer, sie belehrt nicht, sondern greift an. Stellvertretend für diese Richtung kann *Pfeffel* betrachtet werden. Seine Fabeln sind zum großen Teil Kritik an den politischen Zuständen seiner Zeit. An der Wortwahl zeigt sich am ehesten sein starkes Engagement. Bezeichnend für diese Tendenz ist jedoch die Umgestaltung, die das alte Motiv erfährt: die Fabel vom Tanzbär beginnt in den meisten Bearbeitungen mit der Flucht des Bären. Pfeffel läßt der Flucht aber eine 28 Verszeilen lange Beschreibung des Bären vorangehen, worin er in krassen Farben die rauhe Behandlung des Tanzbären durch seinen Herrn schildert: ein geeigneter Anlaß, gegen die Willkür der Herrscher vorzugehen. In den restlichen 25 Zeilen der Erzählung berichtet Pfeffel nicht die überlieferte Version des Motivs: die Ächtung des tanzenden Bären durch seine Genossen; er schildert noch den freudigen Empfang, läßt dann aber den vorgegebenen Stoff und berichtet, wie der entlaufene Bär seinem ehemaligen Herrn im Wald auflauert und ihn tötet. Durch diese naheliegende Änderung des Motivs wird die politische Kritik eindeutig im Bild ausgesprochen. Die alten Motive in ihrer spezifischen Stoffanordnung reichen nicht hin, um die scharfe Kritik auszudrücken. Daher werden sie geändert oder erweitert.

3. Satirischer Stil

Eine weitere Abwandlung der überlieferten Motive durch die soziale Kritik zeigt sich in der Vergesellschaftung des Tierreichs: menschliche Ordnungen und Institutionen werden in die Tierwelt projiziert. Es gibt einen König, eine Polizei, einen Nachtwächter und einen reformierenden Gesetzgeber. Diese Eigenschaft der totalen Assimilation der Tierwelt an die menschliche Staatsordnung hat die kritische Fabel mit dem Tierepos gemein.

Die weitgehend anthropomorphisierte kritische Fabel muß nicht unbedingt allegorisch sein, aber es gibt Fälle, in denen sie zur reinen Allegorie wird. *Luthers* »Neue Fabel Aesopi vom Löwen und Esel« gehört hierher; sie hat auch in der Gestaltung durch Erasmus Alberus diesen Zug beibehalten. Luther setzt Tier und menschliche Person gleich, d.h. er enthebt sich der Mühe einer Charakterisierung und legt dem Papst die stereotypen Eigenschaften des Esels zu. Die Fabel wird dadurch satirisch, daß sie die Person des Papstes in die Gestalt eines Esels kleidet, damit angreift und lächerlich macht. Diese satirische Form bedient sich der Mittel der Fabel: des Inventars, der Typisierung, der Demonstration. Das, was sie von der engen Fabelform trennt, ist die mit der Allegorie auftretende Satire.

Der Unterschied, der durch das satirische Element hervorgerufen wird, liegt in der Spezifizierung der Erzählung. Es wird etwas ganz Bestimmtes gemeint und nicht dieses oder jenes mögliche Verhalten. Wenn man auf das Modell der Dreigliedrigkeit zurückgreift (s. S. 24), dann ergibt sich, daß das dritte Glied bei der satirischen Fabel (und bei manchen kritischen auch) nicht in einer Vielzahl von Fällen besteht, sondern nur in einem ganz klar ausgesprochenen Verhältnis. Daß dieses Verhältnis (oder diese Person, Ansicht oder Institution) bloßgestellt wird, so dargestellt wird, daß es lächerlich oder verachtenswert erscheint, macht den satirischen Stil bestimmter Fabeln aus.

In diesen Kontext gehört freilich ein Thema für sich, die Verwendung von Tieren in anderen Textgattungen; man vgl. z.B. *Schiller*, Fiesco II, 9: »Wölfe besorgten die Finanzen, Füchse waren ihre Sekretäre«; oder *Heine*. Daß damit die Frage der Naturmetaphorik angesprochen ist, wird deutlich, wenn man an ›Rosen ohne Dornen‹ denkt und damit eben auch an die Funktionalisierung von Pflanzen nicht nur in der Fabel.

4. Fabuloser Stil

Die satirische Fabel überschreitet in gewisser Weise die enge Fabelform: auf die Symbolik einer kleinen Erzählung wird verzichtet, dafür erscheinen allegorisch eindeutige Bezüge. Schon die belehrende und die kritische Fabel zeigen Tendenzen zur reinen Allegorie. Man fragt sich, ob es eine Auffassung der Fabel gibt, in der keine eindeutige Tendenz – die immer eine allegorisierende Form begünstigt – vorhanden ist, in der eine Tiererzählung berichtet wird, die symbolisch im weitesten Sinn ist, ohne irgendeine spezifische Tendenz zu verfolgen.

Fabeln ohne angefügte Lehre sind kaum zu finden; die symbolische Form der Fabel wird also auch eine angehängte Lehre besitzen. Diese muß so sein, daß sie keine spezielle Belehrung, Kritik oder Satire darstellt.

Der *Stricker* erzählt die Fabel vom Katzenauge: ein König hat ein Auge verloren und läßt sich das Auge einer Katze einsetzen. Er sieht nach der Verpflanzung nur noch Mäuse. Der Dichter folgert:

> »er mohte nature unde art
> von ir rehte niht enbringen:
> swer daz fiur mac betwingen,
> daz ez der hitze werde fri,
> und wazzer, daz ez trucken si,
> der mac nature widerstan!«
>
> (Altdt. Textbibl. LIV, S. 53).

Er zitiert im weiteren Verlauf der Lehre noch Alanus ab Insulis »natura vicaria dei«: »nature ist der ander got«. Die Erzählung drückt eine allgemeine Symbolik aus: die Welt, das Leben in seinen Grundzügen wird verdeutlicht, jede speziellere Ausrichtung fehlt. Der Dichter begibt sich aus dem Bereich der Tendenzliteratur in das Gebiet der Dichtung. Er gestaltet einen Teil der Welt nach bestimmten (fabulosen) Maßstäben.

In dieser Form läßt sich am deutlichsten die Weltsicht der überwiegenden Zahl der Fabeln ablesen: sie registrieren die Gesetze der Natur in ihrer Unabänderlichkeit. Auch bei Luther läßt sich diese Auffassung nachweisen. Er will nicht immer spezielle Belehrung, nicht immer Anweisung für richtiges Handeln vermitteln, sondern er will die Welt beschreiben, wie sie (für ihn) ist. Viele seiner Fabeln schließen mit der Lehre: das ist der Welt Lauf. In diesem Fabeltyp, in dem die Welt und das Verhalten des Menschen gestaltet wird, steht die Fabel den anderen dichterischen Gattungen am nächsten. Hier wird der fabulose Stil am deutlichsten: die Fabel, in der als Lehre die Unabänderlichkeit der Natur demonstriert wird.

Daß auch diese These: Natur sei unveränderbar, eine ganz bestimmte Einstellung zur Welt darstellt, ist deutlich. Sie ist daher mit anderen Theoremen der jeweiligen Zeit verbunden: aus ihr folgt leicht der Schluß, indem man ›Natur‹ auf ›(gesellschaftliche) Welt‹ ausdehnt, daß auch politische Zustände unveränderbar, gottgewollt seien. Daß deshalb die angeführte Strickersche Fabel nicht politisch neutral ist, sondern unter ideologiekritischem Aspekt als affirmativ zu beschreiben wäre, ist eine Tatsache, die heute nicht mehr übersehen werden kann.

Es bleibt noch, einen Blick zu werfen auf die typischen Aufbau-
formen der Fabel, auf den Bau im Hinblick auf das Gefüge der
Glieder.

1. Die Normalform und ihre Abwandlungen

Die Normalform beginnt ohne Einleitung mit der Erzählung,
mit der Darstellung des Problems. Daran wird eine allgemeine
Lehre angehängt. Das Schema ist also: Erzählung – Lehre. Diese
Grundform findet sich schon bei Stricker und dann bei den meisten
Fabeldichtern des 18. Jhs. Sie entspricht der üblichen Vorstellung
vom Aufbau einer Fabel. Die Lehre stellt in dieser Form einen
Bezug zum Menschen her; der Bildgehalt wird auf menschliche
Verhältnisse angewandt.

Diese Normalform zeigt zwei, auch weitverbreitete Abwandlun-
gen. Bei den Bearbeitern, die sich eng an die lateinische Vorlage
(also meistens an den ›Romulus‹) halten, setzt sich dessen Form
durch: er bringt zuerst eine allgemeine Lehre, dann die Erzählung
und am Schluß nochmals eine Zusammenfassung des Lehrgehalts.
Als Schema ergibt sich: Lehre – Erzählung – Lehre.

Bei *Steinhöwel*, der seine Vorlage weitgehend nur übersetzt, beginnt die
Fabel von »zwaien müsen«: »Vil beßer ist in armout sicher leben, wann in
richtung durch forcht und sorgfeltikait verschmorren, als durch dise kurcze
fabel Esopi würt bewyset« (S. 93). Der letzte Nebensatz leitet zur Fabelhandlung über, es folgt der Bericht des bekannten Motivs von der Stadt-
und der Feldmaus. Die Fabel endet mit einer formalen Überleitung zur
Lehre: »Dise fabel straffet die lüt, die sich zuo andern höhern menschen
gesellent«. Diese Auslegung trifft nicht voll den Bildgehalt, deshalb wird
eine zweite weiterführende angehängt: »Darumb söllent die menschen das
gemachsam ruowig leben erwelen«. Diese Form betont durch die Einrah-
mung der Erzählung durch abstrakte Sätze die belehrende Absicht.

Gerade an dieser – nur lebensklug sein wollenden – Lehre läßt sich, in
ideologiekritischer Einstellung, die notwendig immer vorhandene Position
im Ganzen des politischen Prozesses ablesen: diese Fabel propagiert Her-
renmoral, schläfert die Untertanen ein, plädiert für Ruhe und Ordnung, für
die Stabilität des Bestehenden. Die ideologiekritische Analyse en detail
durchzuführen, erfordert die Hinzunahme von Fakten, welche die Sozial-
und Wirtschaftsgeschichte bereitzustellen hat.

Bei *Luther* zeigt sich deutlich die zweite Abwandlung der
Grundform. Er hält das Schema Erzählung – Lehre ein, formuliert
die Lehre jedoch oft nicht abstrakt, sondern bildlich: »Denn
welcher Freund den andern vermag / der steckt ihn in Sack« lautet

ein Teil der Lehre in der Fabel vom Frosch und der Maus (S. 33). Die Fabel vom Kranich und dem Wolf hat bei Luther die Erläuterung: »Wer einen vom Galgen erloeset / Dem hilfft derselbige gern dran« (S. 57). Luther kann diese bildliche Erläuterung wählen, weil sie in ihrer Bedeutung als sprichtwörtliche Wendung allgemein bekannt ist. Wäre sie nicht bekannt, sondern ein weiteres Bild, dann würde eine bildliche Erläuterung die symbolische Erzählung erklären; es entstünden Verständnisschwierigkeiten, zumindest wäre der Sachverhalt nicht in der Klarheit wie bei der abstrakten Lehre zu fassen. Man fragt sich, ob diese Form der bildlichen Lehre am ehesten die Einheitlichkeit der Form sichert, ob also – anders formuliert – die abstrakten Belehrungen einen Stilbruch bedeuten? Die Fabel mit einer bildlichen Erläuterung ist in sich geschlossener, überhaupt wenn die Lehre nochmals den Bildgehalt der Erzählung aufgreift, wie bei Luther in der Fabel vom Wolf und Schaf, die am Bach Wasser trinken. Hier heißt es in der Lehre: »wenn der Wolff wil / so ist das Lamb unrecht« (S. 28). Die Lehre faßt sprichwörtlich und in Bildern der Erzählung ebendiese zusammen. Die Form ist gerundet: Erzählung und Lehre sind auch durch die Wortwahl und damit durch die Bildvorstellung verbunden.

Bei den Fabeln mit abstrakter Lehre besteht zweifellos ein Bruch im Stil der beiden Glieder: die Erzählung ist bildlich, die Lehre abstrakt. Insofern kann man bei diesen Fabeln von einer gestuften Form sprechen, während bei Luther und anderen oft nur eine Ebene vorhanden ist. Die Einheit der Form wird bei der abstrakt formulierten Lehre dadurch erreicht, daß Erzählung und Belehrung auf einen gemeinsamen Punkt ausgerichtet sind. Beide umschreiben mit je anderen Mitteln das gleiche Ziel. Die Fabel mit der bildlichen Lehre verwirklicht in Erzählung und Belehrung durch die gleichen (symbolisch verhüllenden) Mittel ihre Absicht; die Fabel mit der abstrakten Lehre erstrebt durch zwei mögliche Wege, ihr Ziel zu erreichen: durch einen poetischen (in der Erzählung) und durch einen philosophischen (in der Lehre).

Es ist nicht leicht möglich, zwischen beiden Formen eine Wertstufung zu setzen. Die abstrakte Form hat sich allein durch die Vielzahl ihrer Erscheinungen legitimiert; die bildliche Form gibt es dagegen vergleichsweise selten.

Hier erscheint eine (literatur-)wissenschaftstheoretische Notiz angebracht: in diesem § wurde die Struktur der Fabel für sich beschrieben, wie sie als sprachlich-künstlerisches Objekt aufgebaut ist. Das ist eine heuristisch notwendige Reduktion auf einen Aspekt: hier den poetisch-formalen. Das begriffliche Analyseinventar war dabei durchaus traditionell und

schlicht: ›abstrakt‹, ›bildlich‹, ›Stil‹, ›Form‹, ›Lehre‹, ›Erzählung‹. Es ist
möglich, mit anderen Kategorien ebendasselbe zu beschreiben (etwa mit
neueren linguistisch-strukturellen). Welche Beschreibung die adäquatere
ist, bleibt dann zu reflektieren. Daß das, was z. B. in den sprichwortartigen
Epimythien bei Luther (semantisch) gesagt wird, noch unter anderen
Perspektiven beschrieben werden kann, ist damit nicht vergessen. So wäre
für die wissenschaftliche Erfassung unerläßlich die geschichtsphilosophi-
sche Beschreibung von Lehren wie die angeführten (»Denn welcher Freund
den andern vermag / der steckt ihn in Sack«: das ist der homo-hominis-
lupus-Zustand, bzw. der Kampf um die Anerkennung, der geschichtlich
zunächst sich in einem Herr-Knecht-Verhältnis stabilisierte, das in dem
Morale »wenn der Wolff [Herr] wil / so ist das Lamb [Knecht] unrecht«
zum Ausdruck kommt). Sie stellen die faktische Rechtssituation zur Zeit
Luthers dar. Ob sie diese Situation affirmieren oder kritisieren, müßte in
ideologieanalytischer Einstellung am konkreten Text untersucht werden.

2. Die Sonderform bei Alberus

Erasmus *Alberus* schreibt seine Fabeln in einer Form, die nur bei
ihm voll ausgebildet ist; er hat bei den übrigen Fabelbearbeitern
kaum Nachfolge gefunden. Er schrieb vor die Erzählung eine
ausführliche Ortsbeschreibung; seine Sonderform zeigt also folgendes Schema: Ortsbeschreibung – Erzählung – Lehre. Die Ortsbeschreibung wird durch eine formale Überleitung mit der Erzählung verknüpft, die Fabelhandlung dadurch lokalisiert.

Der Vorbau, der überflüssig scheint und u. U. nur von der
Fabelhandlung ablenkt, hat bei den einzelnen Fabeln verschiedene
Funktionen: er kann eine episierende Erweiterung bilden, die die
Erzählung besser motivieren soll.

In der Fabel vom Fuchs und dem Raben wird berichtet, daß in der
»Dreieych bey Egelsbach« auf einem Baum ein Rabennest ist, das jedes Jahr
von den Bauernjungen ausgehoben wird, weil der Rabe räuberisch ist und
»stielet ihn fleisch, käß, und brodt«. Durch diese Erzählung wird motiviert,
daß der Rabe ein Stück Käse im Schnabel hat. Diese Art der Ortsschilderung ist integrativ in die Gesamthandlung einbezogen (S. 40).

In einigen Fabeln hat die Ortsschilderung keine andere Funktion
als die Lokalisierung der Erzählung. Alberus beschreibt dann nur
den Ort, ohne daß er damit die Handlung besser motivieren
würde. In der Fabel von der Maus und dem Frosch wird nur der
Teich lokalisiert; eine erkennbare Funktion innerhalb des Gesamt-
aufbaus – außer der der Episierung – ist nicht zu erkennen.

Die dritte Art, in welcher der lokalisierende Vorbau erscheinen
kann, ist die Kritik an bestimmten Zuständen oder Personen.

In der 30. Fabel »Vom Müller und dem Esel« greift er das wilde Leben im Kloster Naumburg an:

> »Darinn drey mönch sind oder vier,
> Die trincken wein und selten bier,
> Dieselben Brüder mögen frey,
> Vollnbringen ihre büberey.«   (S. 133)

Die eigentliche Fabelhandlung hat keinen Zusammenhang mit der Kritik; auch die Lehre der Fabel nimmt keinen Bezug mehr auf die Tendenz der Vorbemerkung. Alberus erneuert durch den Vorbau die Wirkung der alten Motive; seine Fabeln wirken zeitnah und welthaltiger als die wortgetreuen Bearbeitungen.

Literatur: vgl. S. 65.

3. Die Kunstfabel

Die Sonderform bei Alberus bedeutet schon eine weitgehende Veränderung der traditionellen Motive: die Akzente im Gesamtaufbau der Fabel werden verlagert. Endgültig geändert werden die feststehenden Ordnungen jedoch erst durch zwei Erscheinungen, die besonders häufig im 18. Jh. auftreten: durch die Umgestaltung der alten Motive und durch die Erfindung neuer Fabelhandlungen. Die Kunst des Fabelbearbeiters zeigt sich dabei in der formalen Variation des vorgegebenen Handlungsschemas, die Kunst des Fabeldichters in der Neuerfindung von Motiven.

Bei der Umgestaltung alter Motive sind grundsätzlich zwei Möglichkeiten gegeben, die auch beide realisiert werden: die Änderung des Inventars und die Änderung der Handlung. Lessing hat die traditionelle Fabel »Von der Eiche und dem Schilfrohr« dadurch variiert, daß er das Schilfrohr durch einen Fuchs ersetzt, das wesentliche Moment der alten Fabel, daß die Eiche vom Wind geknickt wird, aber beibehalten hat. Es entsteht eine ganz neue Wirkung, ohne daß jedoch die Ähnlichkeit mit der alten Fabel verschwinden würde.

Neben der Verwendung bestimmter alter Motive bei geändertem Inventar, findet sich auch die Variation des alten Handlungsgefüges: in der Fabel »Vom Frosch und der Maus« will in der traditionellen Version die Maus über einen Teich. Der Frosch will sie dabei ertränken. Als Lehre ergibt sich hier das Sprichwort: wer andern eine Grube gräbt, fällt selbst hinein; denn der Frosch, an den die Maus gebunden ist, wird von einem Habicht gefangen. Bei Waldis sind die drei handelnden Figuren beibehalten. Er läßt jedoch Frosch und Maus Krieg führen; dadurch vermeidet er die unmotivierte Mordlust des Frosches in der alten Version. Als allgemeiner Satz resultiert, daß Zwietracht zum Untergang führt. Das Inventar wird beibehalten, die Handlung aber in einem bedeutenden Punkt gegenüber der alten Fassung abgeändert.

Diese Art der Kunstfabel kann nur in Absetzung von der Vorlage beurteilt werden. Eine Reihe von Fabeln läßt jedoch keine Beeinflussung durch »klassische« Motive erkennen. Sie sind neu gestaltet. *Meyer von Knonau* z.B. hat eine Sammlung von Fabeln veröffentlicht, die für diese Gruppe typisch ist. Ein Teil seiner Fabeln baut auf wirklichen Eigenschaften der Tiere auf; sie entstehen aus der Naturbeobachtung. Die fiktive Handlung hat eine Grundlage in der Wirklichkeit.

Daneben erscheinen Fabeln, in denen diese Übereinstimmung mit der Wirklichkeit fehlt. In der Fabel »Vom Fuchs und dem Käfer« wirft ein Fuchs einen Käfer ins Wasser. Der Dichter nutzt nur bestimmte Eigenschaften, die der Fuchs als Typ der Fabel hat und die dem Leser ohne Beschreibung gegenwärtig sind. Bei diesem Typ der Kunstfabel geht aber gerade das Gefühl für die konstanten Eigenschaften der Tiere verloren: bei Meyer von Knonau erscheint der Fuchs als offen gewalttätig; in der traditionellen Fabel ist der Fuchs jedoch listig oder hinterlistig, nie aber gewalttätig. Diese Rolle ist dem Wolf vorbehalten. Wegen dieser Änderung der überlieferten typischen Eigenschaften bedeutet die Kunstfabel eine weitgehende Wandlung des Erscheinungsbildes der alten Motive.

VIII. Geschichte der Fabel

Eine umfassende Darstellung der Geschichte der Fabel fehlt. Die vorhandenen Untersuchungen sind veraltet und lückenhaft. Am besten informiert der Artikel von Lothar *Markschies*.

Diestel, G.: Bausteine zur Geschichte der dt. Fabel. 1871. (Progr. des Vitzthumschen Gymnasiums, Dresden).
Kawerau, W.: Zur Geschichte der dt. Tierdichtung, in: Geschichtsblätter für Stadt u. Land Magdeburg 28, 1893, S. 264–282.
Badstüber, H.: Die dt. Fabel von ihren ersten Anfängen bis auf die Gegenwart. 1924.
Markschies, H. L.: Art. »Fabel« in: RL Bd. I, ²1956, S. 433–441.

Viel Material bieten die verschiedenen monographischen Darstellungen. Sie sind positivistisch ausgerichtet, ohne doch Vollständigkeit zu erzielen, betrachten die europäischen Bearbeitungen der Motive, zitieren Texte, weisen auf Quellen und Zusammenhänge hin und nennen die inhaltlichen Unterschiede:

Fuchs, M.: Die Fabel von der Krähe, die sich mit fremden Federn schmückt, betrachtet in ihren verschiedenen Gestaltungen in der abendländischen Litteratur, Diss. Berlin 1886.
Gorski, K.: Die Fabel vom Löwenantheil in ihrer geschichtlichen Entwickelung, Diss. Berlin 1888.
Ewert, M.: Über die Fabel ›Der Rabe und der Fuchs‹. Motivgeschichte einer Fabel, Diss. Erlangen 1892.
Keidel, G. C.: Die Eselherz- (Hirschherz-, Eberherz-)fabel, in: Ztschr. f. vergleich. Literaturgesch., NF 7, 1893, S. 264–267.
Kohler, L.: Die Fabel von der Stadt- und Feldmaus in der dt. Literatur. 1909. (Progr. Mährisch-Ostrau).
Grawi, E.: Die Fabel vom Baum und vom Schilfrohr in der Weltliteratur, Diss. Rostock 1920.
Ahrens, H.: Die Fabel vom Löwen und der Maus in der Weltliteratur, Diss. Rostock 1920.
Wünsche, A.: Die Pflanzenfabel in der mittelalterl. dt. Literatur, in: Ztschr. f. vergleich. Literaturgesch., NF 11, 1897, S. 373–441; Die Pflanzenfabel in der neueren dt. Literatur, in: ZfdU 16, 1902, S. 20–47 u. 73–110; Die Pflanzenfabel in der Weltliteratur, 1905; Nachdruck 1974.
Reuschel, K.: Pflanzenfabeln, in: ZfdU 17, 1903, S. 601.
Wache, K.: Die Tierfabel in der Weltliteratur, in: Ztschr. f. d. dtösterr. Gymnasien 69, 1920, S. 416–439.
Gombel, H.: Die Fabel vom Magen und den Gliedern in der Weltliteratur, 1934. (Beiheft 80 zur Ztschr. f. roman. Philologie).
Woesler, W.: Die Fabel vom Tanzbären, in: Cahier Heine, 1975, S. 132–143.
Hudde, Hinrich: Das Schäfchen und der Dornstrauch. Wandlungen einer

Fabel von La Motte bis Wilhelm Busch, in: GRM N.F. 28, 1978, S. 399–416.

Speckenbach, K.: Die Fabel von der Fabel. Zur Überlieferungsgeschichte der Fabel von Hahn und Perle, in: K. Hauck (Hrsg.), Frühmittelalterliche Studien Bd. 12, 1978, S. 178–229.

Arendt s. S. 29.

1. Quellen der deutschen Fabelbearbeitungen

Die deutsche Fabeldichtung ist weitgehend Übersetzung und Bearbeitung antiker Motive. Die Überlieferungsgeschichte des antiken Fabelkorpus ist sehr kompliziert und durch die Lückenhaftigkeit der Daten z. T. sehr vage. So ist etwa durchaus nicht gewiß, ob der Vater der abendländischen Fabel, *Aesop*, wirklich (um 550 v. Chr.) als Sklave lebte, wenngleich es eine ›vita esopi‹ von Maximus *Planudes* gibt, die vielen Fabelsammlungen beigegeben wurde. Von Aesop selbst ist keine Sammlung erhalten. Von *Phaedrus*, der zwischen 30 und 55 n. Chr. seine 5 Fabelbücher schrieb, ist das meiste durch seine Selbsterwähnungen bekannt: daß auch er Sklave war, dann von Augustus freigelassen wurde. Im zweiten nachchristlichen Jahrhundert hat *Babrios* in griechischen Versen Fabeln geschrieben; im 5. Jh. bearbeitete *Avian* daraus 42 Fabeln in Distichen. Die Art der Überlieferung: eine Fülle von späten Handschriften und spärliche wechselseitige Nennungen der einzelnen Bearbeiter, läßt nur problematische Vorstellungen entstehen. Im Mittelalter benutzte man – und zwar im Lateinunterricht, also zu didaktischen Zwecken – eine Prosaauflösung dieser Fabeln, die man nach ihrem Verfasser den ›Romulus‹ nennt. Davon ist als älteste Fassung eine Hs. aus dem Kloster Weißenburg im Elsaß überliefert (ca. 920); daneben kennt man eine Abschrift, die um 950 geschrieben worden sein muß. Auf diese Texte geht die Kenntnis des Stricker, Hugos von Trimberg, Boners zurück. Allerdings wird man die Fabel in Deutschland schon früher gekannt haben; *Paulus Diakonus*, der dem Kreis um Karl den Großen angehörte, erzählt die Fabel vom Hirschherzen (in lateinischer Sprache), die dann auch in der ›Kaiserchronik‹ erscheint (hrsg. v. Ed. Schröder, ²1964, v. 6854 ff.).

Zu den von den Dichtern des 18. Jhs benutzten Quellen vgl. S. 77 ff.

Texte:

Aesop: Corpus fabularum Aesopicarum, hrsg. v. A. *Hausrath*, I, 1940, ⁴1970; II 1956, ²1959.
Babrios: Babrii fabulae, C. Lachmannus et amici emendarunt [. . .] 1854;

hrsg. von O. Crusius 1897; vgl. den Art. v. *Crusius* in: RE Bd. IV, Sp. 2655 ff.

Hertzberg, G. W.: Babrios' Fabeln, übersetzt in dt. Choliamben. Nebst e. Abhandlung über den Begriff der Fabel u. ihre historische Entwicklung bei den Griechen. 1846. (Abhandlung: S. 69–199).

Phaedrus: Liber Fabularum. Fabelbuch (lat./dt.), hrsg. u. erläutert von O. Schönberger, 1975; vgl. den Art. von A. *Hausrath* in: RE Bd XXXVIII, Sp. 1474 ff.

Avianus: Ausgabe v. W. *Fröner*, 1862; Guaglianone 1958; vgl. den Art von *Crusius* in: RE Bd. IV, Sp. 2373 ff.

Romulus: Der lateinische Aesop des Romulus und die Prosafassungen des Phaedrus, hrsg. v. G. *Thiele*, 1910.

Paulus Diakonus: Die Gedichte des Paulus Diakonus, hrsg. v. K. *Neff*, 1908. (Quellen u. Untersuchungen zur latein. Philologie d. MAs. III, 4).

Aesopische Fabeln, zusammengest. u. übertr. v. A. *Hausrath*, 1940.

Antike Fabeln, eingel. u. neu übertr. v. L. *Mader*, 1951, jetzt als dtv-Taschenbuch, 1973.

Schnur, H. C.: Fabeln der Antike, 1978.

Zu Aesop, Avianus, Babrios vgl. auch die revidierten Art. in: Der kleine Pauly. Lexikon d. Antike, bearb. u. hrsg. v. K. Ziegler u. W. Sontheimer, I, 1964.

b) Untersuchungen:

Jacob, H.: Über die aesopische Fabel der Alten, in: Berlinische Monatsschrift 5, 1785, S. 300–316.

Keller, O.: Untersuchungen über die Geschichte der griechischen Fabel, in: Jbb. f. klass. Philologie, Suppl. 4, 1862, S. 309–412.

Oesterley, H.: Romulus und die Paraphrase des Phaedrus und die aesopische Fabel im MA, 1870.

Hausrath, A.: Untersuchungen zur Überlieferung der aesopischen Fabeln, in: Jbb. f. Klass. Philologie, Suppl. 21, 1894, S. 247–311; Das Problem der aesopischen Fabel, in: Neue Jbb. f. d. Klass. Altertum I, 1898, S. 305–322.

Bieber, D.: Studien zur Geschichte der Fabel in den ersten Jahren der Kaiserzeit. Diss. München 1905.

Thiele, G.: Die vorliterarische Fabel der Griechen, in: Neue Jbb. f. d. Klass. Altertum 21, 1908, S. 377–400; Die antike Tierfabel, in: Die Geisteswissenschaften, 1914, H. 16, S. 433–436.

Mayer, A.: Studien zum Aesoproman und zur aesopischen Fabel im latein. MA, 1917. (Progr. Lohr 1916/17); auch in: Histor. Jb. d. Görres-Ges. 1917.

Wienert, W.: Die Typen der griechisch-römischen Fabel. Mit e. Einleitung über das Wesen der Fabel, 1925. (FFC Nr. 56).

Thiel, H. *van*: Sprichwörter in Fabeln, in: Antike und Abendland XVII, 1971, S. 105–118.

Küppers, J.: Die Fabeln Avians, 1977.

Ausführliche Literaturangaben im Art. »Fabel« von a) A. *Hausrath*, in: RE

Bd. XII/2, Sp. 1704–1736; u. von b) H. L. *Markschies*, in: RL, Bd. I, ²1956, S. 433–441.

Keidel, G. C.: A manual of Aesopic fable literatur, 1896. (Erfaßt die Veröffentlichungen bis 1500).

2. Vom Beginn der Überlieferung bis zum Ende des Mittelalters

Bei einer Darstellung der Geschichte der Fabel in Deutschland ist – besonders für diese Zeit – die Fabeldichtung in deutscher von der in lateinischer Sprache zu trennen. Hier sei, was das Lateinische angeht, nur einige weiterführende Literatur genannt.

Literatur:

Roth, L.: Die ma. Sammlungen latein. Tierfabeln, in: Philologus 1, 1846, S. 523–546.

Voigt, E.: Tierfabeln und Tierbilder des beginnenden 11. Jhs., in: ZfdA 23, 1879, S. 308–318 (latein. Texte).

Hervieux, L.: Les fabulistes latins, 5 Bde., 1893–1899; Neudruck 1970.

Lundius, B.: Tierfabeln und Schwänke, 1924. (Latein. Quellen des dt. MAs. H. 3).

Manitius, M.: Geschichte der latein. Literatur des MAs, Bd. 3, 1931, S. 771–777 (Nachdruck 1964).

Schnur, H. C.: Lateinische Fabeln des Mittelalters, 1979.

Zur deutschen Fabeldichtung dieses Zeitraums liegen einige Sammelausgaben vor und auch Untersuchungen, die sich über die ganze Epoche erstrecken.

a) Texte:

Grimm, J.: Altdeutsche Wälder, Bd. 3, 1816, S. 167–238; fotomechan. Nachdruck 1966.

Pfeiffer, Fr.: Altdt. Beispiele, in: ZfdA 7, 1849, S. 318–382.

Keller, Ad. *von*: Erzählungen aus althochdt. Handschriften, 1855, S. 459–587.

Goedeke, K.: Deutsche Dichtung im MA, ²1871, S. 627–652.

Eichhorn, K.: Mitteldt. Fabeln, Teil 1–3. 1896–1898 (6. Bernhardinum, Meiningen).

Vetter, F.: Lehrhafte Literatur des 14. u. 15. Jhs, 2 Teile. [1889] (DNL 12.)

Leitzmann/Euling/Rosenhagen: Kleinere mittelhochdt. Erzählungen, Fabeln u. Lehrgedichte, 3 Teile. 1904, 1908, 1909. (Dt. Texte des MAs. 4, 14, 17).

Wilhelm, F.: Drei Fabeln aus Cgm 1020, in: Alemannia 34, N. F. 7, 1906/ 07, S. 113–129.

Alte deutsche Tierfabeln, ausgew. u. übertr. v. W. u. H. *Stammler*, 1926. (Dt. Volkheit. 20).

Schirokauer, A.: Texte zur Geschichte der altdt. Tierfabel, 1952. (Altdt. Übungstexte Nr. 13).
Schaeffer, R.: Deutsche Tierfabeln vom 12. bis 16. Jh., 1955.
De Boor, H. (Hrsg.): Mittelalter, Teil I. 1965, S. 738–764. (Die dt. Literatur. Texte u. Zeugnisse. Bd. I/1).
Spiewok, W. (Hrsg.): Der Fuchs und die Trauben. Deutsche Tierdichtung des MA.s, 1973, auch: 1978.

b) Untersuchungen

Mall, E.: Zur Geschichte der ma. Fabelliteratur u. insbesondere des Esope der Marie de France, in: Ztschr. f. roman. Philologie 9, 1885, S. 161–203.
Herlet, B.: Beiträge zur Geschichte der aesopischen Fabel im MA, 1892. (Bayerische Schulprogramme. 1).
Eichhorn, K.: Untersuchungen über die von Fr. Pfeiffer in Bd. 7 von *Haupts* Ztschr. hrsg. Fabeln, 1899. (Progr. Meiningen).
Baterau, O.: Die Tiere in der mittelhochdt. Literatur, Diss. Leipzig 1909.
Hilka, A.: Beiträge zur ma. Fabelliteratur, in: Schlesische Ges. f. vaterländ. Literatur, 4. Abt.: Sektion f. neuere Philologie, 1913.
Lämke, D.: Ma. Tierfabeln u. ihre Beziehungen zur bildenden Kunst in Deutschland. Diss. Greifswald 1937. (Dt. Werden. 14).
Whitesell, F. R.: Fables in Mediaeval Exempla, in: JEGPh 46, 1947, S. 348–366.
Schirokauer, A.: Die Stellung Aesops in der Literatur des MAs, in: Festschrift f. W. Stammler, 1953, S. 179–191.
Messelken, Hz.: Die Signifikanz von Rabe und Taube in der mittelalterlichen deutschen Literatur [. . .] Diss. Köln 1965.
De Boor, H.: Über Fabel und Bîspel. Vortrag, in: Sitzungsberichte d. Bayer. Akademie d. Wiss., Phil.-histor. Klasse, 1966, H. 1.
Schmidtke, D.: Geistliche Tierinterpretation in der deutschsprachigen Literatur des Mittelalters, Diss. Berlin 1968.
Schütze, G.: Gesellschaftskritische Tendenzen in deutschen Tierfabeln des 13. bis 15. Jh.s, 1973.
Weitere Literatur und Zusammenfassendes in: *Goedeke* I, S. 109f.; *Ehrismann* I, ²1932, S. 374ff., u. II, 1935, S. 343ff.
Nunmehr grundlegend:
Grubmüller, Kl.: Meister Esopus. Untersuchungen zur Geschichte und Funktion der Fabel im Mittelalter, 1977.

a) Der ›Physiologus‹

Am Beginn der fabelartigen Literatur in deutscher Sprache steht die Physiologusübersetzung von 1070. Der ›Physiologus‹ beschreibt Tiere und führt aus, »uuas siu gêslîho (= geistlîho) bezêhinen«.

Der Löwe etwa ›bezéhinet‹ wegen seiner Stärke Christus. Wenn der Löwe schläft, dann wachen seine Augen: diese biologische Einzelheit, die man für ein gesichertes Faktum hält, veranschaulicht den Satz Christi: ego dormio et cor meum vigilat (Ahd. Lesebuch, hrsg. v. W. Braune, ¹⁵1968 v. K. Helm, S. 75).

Der ›Physiologus‹ zeigt durchaus fabulose Züge: die Auslegung tierischer Eigenschaften und Verhaltensweisen, so daß ihre Bedeutung für den Menschen sichtbar wird. Daß seine Lehre nur religiös geprägt ist und daß dieser Zug in der Entwicklung der Fabel zurücktritt – die Lehre unterliegt einem Säkularisierungsprozeß –, ändert nichts an dieser Verwandtschaft.

Die ›Physiologus‹-Übersetzung steht durch ihre strenge statische Zweiteilung (Eigenschaft – Bedeutung), durch ihre allegorisierende Struktur an dem einen Ende der historischen Variantenreihe der Form ›Fabel‹. Der ›Physiologus‹ ist insofern keine Fabel, als er auch keine Dichtung ist: dadurch, daß ihm im Bewußtsein seiner gläubigen Schöpfer und Hörer der Charakter der Fiktionalität fehlt, wird er zur wissenschaftlichen Literatur. Denn während der ›Physiologus‹ für uns unrealistisch, phantastisch ist, hat er für seine Zeit die Bedeutung eines Lehrbuchs.

Literatur:

Physiologus, älterer u. jüngerer, in: *Wilhelm*, Fr.: Denkmäler dt. Prosa des 11. u. 12. Jhs, Bd. I, Text (dt. Texte S. 4–28), 1914; Bd. II, Kommentar, 1918. Neudruck 1960.
Der Physiologus. Übertragen und erläutert von O. *Seel*, 1960, ³1976.
Maurer, Fr. (Hrsg.): Der altdt. Physiologus. Die Millstätter Reimfassung und die Wiener Prosa nebst dem lateinischen Text und dem althochdt. Physiologus, 1967. (Altdt. Textbibl. 67).
Lauchert: Zum Fortleben der Typen des Physiologus in der geistlichen Literatur, in: Ztschr. f. kath. Theologie 1907, S. 177ff.
Henkel, N.: Studien zum Physiologus, 1976.
Grubmüller, Kl.: Überlegungen zum Wahrheitsanspruch des ›Physiologus‹ im Mittelalter, in: K. Hauck (Hrsg.), Frühmittelalterliche Studien 12, 1978, S. 160–177.

b) Herger – Spervogel

Werden die Möglichkeiten, die der ›Physiologus‹ birgt, nicht weiterentwickelt, dann bleibt es beim reinen Tiervergleich ohne Handlung. Es entsteht keine abgerundete Geschichte, sondern eine Reihe von einzelnen statischen Bildern.

Beispielhaft für diese Stufe der (nicht entwickelten) Fabel ist *Spervogel*. Er arbeitet schon mit einem Katalog von feststehenden

Eigenschaften der Tiere: »Swer den wolf ze hûse ladet der nimt sîn schaden« (23, 20). Der Wolf ist Typ des reißenden, tötenden Tieres. Spervogel baut diese Vergleiche nicht zur Handlung, zur Geschichte aus. Sie stehen bei ihm isoliert, bilden die Pointe ohne die vorhergehende Erzählung.

Herger – der in den Handschriften und bei Lachmann/Kraus unter *Spervogel* geführt wird – hat die Einkleidung der Sentenz in Handlung vorgenommen. Das Geschehen dominiert bei ihm, die Moral wird nicht ausgesprochen; es bleibt dem Leser überlassen, die Konklusion zu ziehen.

Herger bildet eine Sonderform der Fabel: seine Gedichte zeigen alle Züge der ›echten‹ Fabel – bis auf die fehlende (ausgesprochene) Sentenz. Dabei kommt es vor, daß die Moral sehr schwer zu fassen ist. Beispiel für diesen Vorgang ist 27,20 ff.: ein Wolf und ein Mann spielen um einen ausgesetzten Gewinn Schach. Der Wolf verhält sich dabei »wie sein Vater«, d.h. wie es seiner Art entspricht. Als er einen Widder kommen sieht, gibt »er beidiu roch (Türme) umb einen venden (Bauern)«. Hier ist jede eindeutige Aussage vermieden, die typische Klarheit der Fabel nicht vorhanden. Der Versuch, eine Lehre zu formulieren, bereitet Schwierigkeiten. Die anderen Fabeln Hergers sind in ihrem didaktischen Gehalt einsichtiger, aber auch hier fehlt jede eindeutige Aussage (vgl. etwa 27,13 ff. und 27,27 ff.).

Literatur:

Des Minnegesangs Frühling, hrsg. v. C. von Kraus, [35]1970. (Herger-Spervogel: Nr. VI, S. 15–29).
Zu biographischen Problemen vgl. die Artikel im Verf.Lex.

c) Der Stricker

Die mittelhochdeutsche Blütezeit – die Generation von 1190 bis 1220 – bediente sich (wie auch Klassik und Romantik um 1800) der Fabel nicht. Die Art ihrer Probleme, die Erkenntnisse des Zwiespalts von Mensch und Gott, die Distanz zwischen Realität und geschauter Idealität vertrug nicht den Ausdruck durch die travestierende Fabel. Tiere als Ausdrucksträger waren für diese Zeit nicht möglich. Erst als der Mensch sich wieder praktischeren Fragen zuwandte, konnte die Fabel Mittel werden, die bedrängenden Probleme der Zeit zu gestalten. Die Fabel ist ihrem Wesen nach anscheinend nicht fähig, subtile geistige Verhältnisse auszudrücken; sie war daher für das Hochmittelalter wertlos. Praktische Probleme, weniger sublimierte Komplexe dagegen vermag die Fabel zu fassen: daher war sie für das Spätmittelalter wieder brauchbar.

Der bedeutendste Dichter der spätmittelalterlichen Fabel ist der *Stricker*. Bei ihm lassen sich zwei typische Ausprägungen der Fabel unterscheiden:

51

Eine Reihe von Tierbispeln zeigt eine Überbetonung der Lehre, rein umfangmäßig nimmt sie oft die Hälfte des Textes einer Fabel ein (vgl. Nr. 1 bei U. Schwab »Der Hahn und die Perle«: 18 Verse Erzählung, 21 Verse Deutung). Der Stricker geht dabei so weit, daß er oft zwei moralische Ausdeutungen hintereinander stellt; eine Fabel hat also eine doppelte Lehre. Das Überraschende dabei ist, daß die zweite Lehre mit der ersten oft nicht übereinstimmt, daß die Lehre mehrschichtig sein kann. Durch diese Mehrschichtigkeit wird die Erzählung besser ausgedeutet; die Transponierung des Bildes in abstrakte Formulierungen wird nicht einspurig vollzogen: das Bild wird von verschiedenen Orten her beleuchtet: je nachdem ergibt das eine andere Bedeutung der Erzählung.

Der Stricker war sich dieses problematischen Verhältnisses von anschaulichem Bild und abstrakter Bedeutung wohl bewußt. Er schreibt in der Fabel »Der Wolf und das Weib« (Nr. 4) nach der ersten Lehre: »Ez mac ouch wol dem sin gelich« (v. 43) = es könnte auch wohl noch dem gleich sein; nun folgt die zweite und dritte Ausdeutung. Eine Lehre erhellt also oft nur eine Seite der Erzählung; daher werden mehrere Deutungen angehängt, um die Erzählung befriedigend zu erklären.

Bei der zweiten Art der Strickerschen Fabel überwiegt die Erzählung, die Lehre tritt dagegen zurück. Bezeichnend für dieses Stadium sind etwa: Nr. 6 »Der Wolf und sein Sohn«: 160 Verse Erzählung, 20 Verse Deutung; Nr. 9 »Der Wolf und der Biber«.

Gelingen kann die Verwirklichung dieses Typs nur, weil die Beseelung der Tiere durchgeführt ist. Der Wolf spricht (Nr. 6 v. 136):

> »und bite unsern trehtin,
> daz er mir die sele bewar«.

Dadurch ist es möglich, mit den Tieren die gleichen Geschichten wie mit Menschen zu gestalten. Durch die Beseelung ist das Tier zum sittlichen Wesen geworden; es steht nicht mehr neutral zu Gut und Böse, sondern Phänomene wie Schuld, Verantwortung, Reue können nun auch bei ihm auftreten.

Die beiden Typen der moralisierenden und der erzählenden Fabel werden durch einen bedeutenden Kunstgriff des Stricker möglich: er gestaltet die Fabel mit epischen und dramatischen Mitteln (im Gegensatz zu Herger, der lyrisiert). Die breite Ausmalung ist der große Schritt, den der Stricker auf dem Weg der Entwicklung der Fabel gegangen ist.

Literatur:

Schwab, U.: Die bisher unveröffentlichen geistlichen Bispelreden des Strikker, 1959.
Mettke, H.: Fabeln und Mären von dem Stricker, Halle 1959. (Altdt. Textbibl. 35).
Schwab, U.: Der Stricker. Tierbispel, 1960. ²1968. (Altdt. Textbibl. 54). Hiernach die Zitate.
Untersuchungen zu den Fabeln:
Jensen, L.: Über den Stricker als Bispel-Dichter, Diss. Marburg 1885.
Blumenfeld, A.: Die echten Tier- und Pflanzenfabeln des Strickers, Diss. Berlin 1916.
Mast, H.: Stilistische Untersuchungen an den kleinen Dichtungen des Strickers mit besonderer Berücksichtigung des volkstümlichen und des formelhaften Elementes, Diss. Basel 1929.

d) Hugo von Trimberg

Beim Stricker erscheint die Fabel als abgeschlossene Erzählung; sie steht für sich, benötigt keinen Zusammenhang. Hugo *von Trimberg* dagegen fügt sie in sein großes Lehrgedicht ein. Sie bildet die anschaulichen Exkurse innerhalb seiner theoretischen Abhandlungen. Die Lehre der Fabeln ist also je nach dem Kontext gefärbt. Bei Hugo von Trimberg zeigen sich wieder deutlich die beiden Quellen, aus denen die mittelalterliche Fabeldichtung schöpft: auf der einen Seite die ›religiös-moralische Zoologie‹ im Stile des ›Physiologus‹, auf der anderen die aesopische Fabel.

Gleich zu Beginn des ›Renner‹ (1310) verfällt Hugo von Trimberg in den Stil des ›Physiologus‹, wenn er innerhalb der Spaziergang-Allegorie Naturdinge moralisiert: die Birnen (= die Menschen) fallen vom Baum (= stammen alle von Eva ab) auf die Heide: »diu heide bediutet diese werlt« (v. 207). Je nachdem, wohin die Birnen fallen, ergeben sich die einzelnen Eigenschaften der Menschen: »der birn ein teil viel in den dorn«, d.h. manche Menschen sind hoffärtig (v. 269ff.). Zu dieser Art von Allegorisierung vgl. besonders v. 19 279ff. »von dem lewen«; v. 19 339ff. »von dem helpfande«; v. 19 367ff. »von dem lebarte«.

Bei der Lehre – Hugo von Trimberg kritisiert kirchliche und weltliche Verhältnisse und die Lebensweise des einzelnen Menschen – springt er von der genauen Auslegung der Erzählung sogleich auf die intendierte Kritik. Die Erzählung wird unwichtig, die Didaxe überwiegt. Man sieht: die Erzählung verhält sich der Auslegung gegenüber weitgehend gleichgültig. Die Deutung kann je nach Intention des Dichters verschieden sein. Allerdings gibt es Ausdeutungen, die ›besser‹ zu einer Erzählung passen als andere. Manche wirken angehängt, ergeben sich nicht notwendig aus der

Erzählung. Andere fassen den Sinn der Geschichte deutlicher; die Wahrnehmung, daß die Lehre durch eine bestimmte Tendenz bewirkt wird, bleibt dann weniger stark.

Literatur:

Hugo *von Trimberg*: Der Renner, hrsg. v. G. Ehrismann, 4 Bde, 1908/11. (BLVS 247/48, 252, 256).
Janicke, K.: Die Fabeln und Erzählungen im ›Renner‹ des Hugo von Trimberg, in: Archiv f. d. Studium d. neueren Sprachen 32, 1862, S. 161–176.
Seemann, E.: Hugo von Trimberg und die Fabeln seines ›Renner‹. Eine Untersuchung zur Geschichte der Tierfabel im MA, 1924.
Schlicht, E.: Das lehrhafte Gleichnis im Renner des Hugo von Trimberg, Diss. Gießen 1928.

e) Die späten Spruchdichter

Bei den späten Spruchdichtern ist die Fabelkenntnis weit verbreitet. Man merkt, daß auch beim Hörer manche Erzählung als bekannt vorausgesetzt werden konnte. Der *Guotaere* etwa spielt auf das oft abgewandelte Motiv vom Fuchs an, der sich totstellt, um Tiere anzulocken, wenn er schreibt: »ez loufet selden wise mus slavender vohe in den munt« (von der Hagen III, S. 42). Daneben werden Fabeln auch vollständig berichtet (vgl. *Meister Stolle* »Der Esel in der Löwenhaut« und »Bauer und Schlange«, ebda S. 8 f.). Die Erzählung ist kurz und präzise, ohne jede Ausschmückung; sie läuft bewußt auf die Belehrung zu.

Neben dieser Tendenz, zur Veranschaulichung der Spruchweisheit auf die Motive der aesopischen Fabel zurückzugreifen, finden sich bei den Spruchdichtern viele Bilder aus dem Tier- und Pflanzenreich, die aus eigener Anschauung geschöpft sind, also keine traditionellen Vorbilder besitzen. Diese Dichtung erinnert an den Stil der Sprüche Hergers. Beim Guotaere wird z. B. die Beobachtung, daß ein Apfel alle anderen ansteckt, dem Satz gegenübergestellt: »schedelicher ist, swa valscher rat wont jungen herren nahen bi« (ebda S. 42).

Literatur:

von der Hagen, Fr. (Hrsg.): Minnesinger, 4 Bde. 1838; Neudruck 1960.
Müller, W. (Hrsg.): Fabeln und Minnelieder von Heinrich von Müglin, in: Göttinger Studien II, 1847, S. 903–929; auch als Einzeldruck 1848.
Stackmann, K. (Hrsg.): Die kleineren Dichtungen Heinrichs von Mügeln, 1. Abt. Die Spruchsammlung des Göttinger Cod. Philos. 21, 3 Bde, 1959. (Dt. Texte des MAs L, LI, LII).

Fischer, H. (Hrsg.): Eine Schweizer Kleinepiksammlung aus dem 15. Jh., 1965. (Altdt. Textbibl. 65).

Scherer, W.: Deutsche Studien, 1870, S. 49 ff.

Rodenwaldt, R.: Die Fabel in der dt. Spruchdichtung des 12. u. 13. Jhs, 1885.

Sparmberg, P.: Zur Geschichte der Fabel in der mittelhochdt. Spruchdichtung, 1918.

De Boor, H.: Geschichte der dt. Literatur, Bd. 3/1, 1962, bes. S. 375 bis 406; ⁴1973 ebda.

Bei allen Angeführten findet man Nachweise von Fabelbearbeitungen einzelner Spruchdichter.

f) Ulrich Boner

Die erste umfassende Bearbeitung des antiken Fabelcorpus im hochdeutschen Raum lieferte der Berner Predigermönch Ulrich *Boner* um 1350. Seine Sammlung ist in mindestens 12 Hss. aus dem 14. und 15. Jh. überliefert und wurde als eines der ersten deutschsprachigen Bücher gedruckt. Schon früh wurde sie wiederentdeckt: die Schweizer *Bodmer* und *Breitinger* geben sie 1757 in Zürich mit Glossar und Anmerkungen unter dem Titel »Fabeln aus den Zeiten der Minnesinger« heraus. *Lessing* beschäftigt sich mit ihnen, weist für 74 Fabeln die Quellen nach und ermittelt den Namen des damals noch unbekannten Autors. Mit Boner beginnt die Fabeldichtung als eigene Gattung.

Ulrich Boner schickt seinen 100 Fabeln eine gereimte Vorrede voraus: »von dem anvange diss buoches«. Er kleidet sie in die Form eines Gebetes, reiht sich also in die Tradition von Wolframs ›Willehalm‹ ein. Er gibt in diesem Prolog an, warum er überhaupt dichtete:

> . . . daz wir unser leben
> richten ûf den hôhen grât
> der tugenden (v. 24).

Er will zu einem religiösen Leben erziehen; als günstiges Mittel für seine Absicht betrachtet er die Fabel, denn »mê denne wort ein bîschaft tuot« (v. 31). Damit hat er die Verbindung zu den Fabeln hergestellt. Er erzählt zuerst »von einem hanen und einem edelen steine« und beginnt – wie später Steinhöwel und Luther und viele andere Bearbeiter – mit dieser Fabel des Aesop, die hauptsächlich auf die rechte Art, Fabeln zu lesen, hinweist (vgl. dazu jetzt *Speckenbach*).

Formal zeigt sich die Nähe des Mittelalters durch die Beherrschung des Paarreims, der allerdings oft mundartlich gefärbt ist; die Brechung ist ihm beliebtes Mittel, die Eintönigkeit der Zwei-Zeilen-Einheit aufzulockern. Die Erzählung ist bei Boner flüssig und immer bis zu Ende geführt; er bricht nicht ab, wenn er seinen Zweck demonstrieren kann.

Die Lehre ist bei ihm entsprechend seinem Stand religiös gefärbt; es geht ihm »um geislîch leben« (S. 5). Er setzt seine Predigten in der Lehre fort, allerdings dringt diese Tendenz nie so stark durch, daß seine Fabeln zum theologischen Traktat würden. Die Anschaulichkeit des Bildes, die Beweiskraft des Beispiels schätzt er höher als theoretische Ermahnungen. Neben der religiösen Lehre bedrängen Boner auch die weltlichen Probleme seiner Zeit; er weist z.B. auf die Notwendigkeit der Standesschranken hin (vgl. S. 14).

Durch die Sammlung Boners werden zum erstenmal im hochdeutschen Raum die antiken Fabelmotive geschlossen greifbar. Die früheren Bearbeiter haben immer nur einzelne Themen behandelt, Boner verbreitet durch seine Fabeln die wichtigsten Motive in einer Sammlung.

Literatur:

Fabeln aus den Zeiten der Minnesinger, hrsg. v. Bodmer u. Breitinger, 1757.

Lessing, G. E.: Über die sogenannten Fabeln aus den Zeiten der Minnesinger, 1. und 2. Abhandlung 1773 u. 1781; abgedruckt in: Lessings Werke (s. S. 87 f.).

Ulrich *Boner*: Der Edelstein, hrsg. v. Franz Pfeiffer, 1844. (Dichtungen des dt. MAs, Bd. 4.); Faks. 1972, mit einer Einleitg. v. D. Fouquet.

Schoch, R.: Über Boners Sprache, Diss. Zürich 1881.

Spölgen, ?: U. B. als Didaktiker, in: Progr. Aachen, 1888.

Goedeke I, § 84, S. 268 ff.

Gercke: Die dialektischen Eigenheiten von Ulrich Boner, Progr. Northeim 1874, dazu: *Schönbach*, A.: Zur Kritik Boners, in: ZfdPh 6, 1875, S. 251–290.

Gottschick, R.: Über die Quellen zu Boners Edelstein, Progr. Charlottenburg 1875; Über die Benutzung Avians durch Boner, in: ZfdPh 7, 1876, S. 237–243; Über die Zeitenfolge in der Abfassung von Boners Fabeln, Diss. Halle 1879; Quellen zu einigen Fabeln Boners, in: ZfdPh 11, 1880, S. 324 bis 336; daran anschl. bis S. 543 Fabeln Boners, hrsg. von J. Zacher; Über Boners Fabeln, Progr. Charlottenburg 1886.

Waas, Chr.: Die Quellen der Beispiele Boners, Diss. Gießen 1897, dazu: *Schröder*, E.: Quellen und alte Parallelen zu Boners Beispielen, in: ZfdA 44, 1900, S. 420–430.

Blaser, R. H.: Ulrich Boner, un fabuliste suisse du XIVe siècle, 1949.

Vollrath, M.: Die Moral der Fabeln im 13. und 14. Jh. in ihrer Beziehung zu den gesellschaftlichen Verhältnissen. Unter bes. Berücksichtigung von Boners ›Edelstein‹, Diss. Masch. Jena 1966.

g) Die niederdeutschen Bearbeitungen

Der niederdeutsche Sprachraum hat zwei Bearbeitungen der klassischen Fabelmotive hervorgebracht: die Fabeln *Gerhards von Minden* und den *Magdeburger Aesop*. Wenn die Datierung von Leitzmann stimmt, dann ist die Sammlung Gerhards (1270) überhaupt die erste weitgehend vollständige Übersetzung des antiken Korpus in die deutsche Sprache. Der niederdeutsche Sprachraum hat – nimmt man die Bearbeitung des ›Reinke de Vos‹ hinzu – eine besondere Tendenz zur Fabel und ist dem mittel- und oberdeutschen Gebiet voraus. Die Fabelbearbeitung Gerhards hat kein Vorbild, die hochdeutsche Fabelbearbeitung des Stricker kannte Gerhard (nach Leitzmann) nicht; der Verfasser des Magdeburger Aesop (um 1400) konnte schon auf Gerhard aufbauen. Gerhard hat sich ziemlich eng an seine Vorlage (den Prosa-Romulus) gehalten: erst im letzten Drittel der Bearbeitungen erweitert er, vorher hat er gekürzt. Seine eigene Leistung besteht in der streng durchgeführten Vierzeiligkeit der Lehre; seine Fabeln erhalten dadurch ein sprichwortartiges, spruchhaftes Aussehen.

Wichtig bei Gerhard (und seinem Nachfolger) ist, daß er die Fabeln geschlossen in einer Sammlung ediert. Damit ist auch im niederdeutschen Raum die Fabel als selbständige Dichtungsgattung gesichert.

Literatur:

Die Fabeln *Gerhards von Minden*, hrsg. v. A. Leitzmann, 1898.

Gerhard von Minden, hrsg. v. W. Seelmann, 1878 (Niederdt. Sprachdenkmäler, hrsg. v. Verein für niederdt. Sprachforschung Bd. 2.) Seelmann gibt den Magedburger Äsop heraus, weist aber nach, daß er nicht von Gerhard ist, daß vielmehr der Wolfenbütteler Äsop von Gerhard stammt. Warum er seine Ausgabe mit Gerhard von Minden überschreibt, bleibt unklar. Zur mißlichen Datierungs- und Verfasserfrage vgl. H. *Beckers*: Die Erforschung der mittelniederdeutschen Literatur des Mittelalters, in: Jahrbuch des Vereins für niederdeutsche Sprachforschung 97, 1974, hier S. 48f., und L. *Wolff* zum zeitlichen Ansatz der Äsopdichtung Gerhards von Minden, ebda S. 113–115.

Keinz, F.: Bruchstück einer niederdt. Fabelsammlung, in: Germania I, S. 89–93 (Wolfenbütteler Äsop).

Goedeke I: Niederdt. Fabeln und Tiersage, § 100, S. 480ff.

Ehrismann, G.: Geschichte der dt. Literatur 2, 1935, S. 344 (hier weitere Literatur).

3. Die Fabel im Zeichen des Humanismus und der Reformation

Schon das späte Mittelalter hatte umfangreiche Fabelsammlungen in deutscher Sprache vorgelegt. Ulrich Boner, Gerhard von Minden, der Magdeburger Aesop sorgten durch mehr oder weniger freie Übertragung ihrer lateinischen Vorlage für eine weite Verbreitung der Fabelkenntnis. Nicht mehr nur der Lateinschüler, dem die Fabel als Übungsstoff vorgelegt wurde, auch der lateinunkundige Mann des Volkes konnte jetzt Fabeln lesen. Eine Hochblüte erlebt die Fabel dann mit dem Ende des 15. und im ganzen 16. Jh. Wohl nicht der geringste Grund für dieses Phänomen ist die Erfindung des Buchdrucks. Hatte man doch Boners »Edelstein« als eines der ersten deutschsprachigen Bücher in der neuen Technik veröffentlicht. Bald stürzt man sich geradezu auf die wohl leicht verkäuflichen Fabeln und druckt sie, um sie verlockender zu machen, mit Holzschnitten. Die Fabel findet Eingang in das Volksbuch und in großer Zahl in die Schwanksammlungen. Der Meistersang bemächtigt sich ihrer. Es entsteht eine große Zahl von Bearbeitungen, oft variiert ein Dichter ein Motiv mehrmals. Küster zählt zwischen 1470 und 1600 genau 686 Ausgaben. Für die Beliebtheit der Fabel zeugen eine Reihe von anonymen Dichtern, eine Anzahl Namen weitgehend unbekannter Dichter wie Michel *Beheim* und Konrad *Harder* und eine Reihe von bisher unveröffentlichten Handschriften (vgl. R. *Schaeffers* Mitteilung über ungedruckte Hss. der Dresdener Bibliothek, in: »Deutsche Tierfabeln des 12. bis 16. Jhs.«, 1955, S. 421). Ein weiterer Grund für dieses Aufblühen einer – im hohen Mittelalter von der Dichtung vollkommen ausgeschlossenen – Form ist in ihrer Einschätzung durch die neue evangelische Lehre zu sehen. Wolfgang *Kayser* weist darauf hin, daß die »Idee der Autoritätskultur«, in der man sich als »Verkünder göttlicher Normen« fühlte, die dozierende Fabel begünstigen mußte (S. 20). Luthers Einstellung hatte hier großen Einfluß. Erasmus *Alberus* weist auf die Verwandtschaft mit den biblischen Erzählungen hin und begründet so aus der Hl. Schrift Wert und Nutzen der Tiererzählung.

Das Neue an der Fabel in diesem Zeitraum ist, daß sie ein Mittel der politisch-religiösen Auseinandersetzung wird. Selbst *Luther* geht hier mit gutem Beispiel voran: er hat es nicht verschmäht, die fabulose Einkleidung zu benutzen, um in seiner »Neuen Fabel Esopi vom Löwen und Esel« (1528) wider die Dummheit der Papisten loszuziehen.

Benennung und Beschimpfung des Gegners durch einen Tiernamen – ein dem Bereich der Fabel entlehnter Brauch – ist in der Reformation weit

58

verbreitet: der Papst ist der Esel oder zur Verdeutlichung der »Babstesel«; Luther wird von Emser als »Stier« bezeichnet, Luther antwortet, indem er ihn mit »Bock« tituliert (»Luther und Emser. Ihre Streitschriften aus dem Jahre 1521«, 2 Bde, 1892, Neudrucke dt. Literaturwerke 83/84 u. 96/98).

Eine weitere wichtige Tendenz dieser Zeit, die auf humanistische Bestrebungen zurückzuführen ist, ist die gelehrte Übersetzung aus dem Latein: Ulrich *von Pottenstein* überträgt die Fabeln des Cyrill (1410), *Steinhöwel* den »Aesop« des *Romulus* (1480) und Antonius *von Pforr* das »Buch der Beispiele der alten Weisen« (1480).

Literatur:

a) Texte:

Chytraeus, N.: Hundert Fabeln, 1591.
Sebastin *Francks* des deutschen Wiedertäufer und Zeitgenossen Luthers Sprüchwörter, Erzählungen und Fabeln der Deutschen, hrsg. u. erläutert v. B. Guttenstein, 1831.
Berger, A. E. (Hrsg.): Lied-, Spruch- und Fabeldichtung im Dienste der Reformation, 1938. (Dt. Literatur in Entwicklungsreihen, Reihe Reformation Bd. 4.) (Texte verschiedener Dichter, S. 191–250).
Fischer, H. (Hrsg.): Eine Schweizer Kleinepiksammlung des 15. Jhs (21 Fabeln, Schwänke und Erzählungen), 1965. (Altdt. Textbibl. 65).

b) Nachweise:

Goedeke II, § 141 (lat. Dichtung) und § 163 (Polemikliteratur).

c) Untersuchungen:

Kayser, W.: Grundlagen der dt. Fabeldichtung des 16. u. 18. Jhs., in: Archiv f. d. Studium d. neueren Sprachen, 160, 1931, S. 19–33.
Voss, E.: Die Lebensbezüge von Fabel u. Schwank im 16. Jh., Diss. Rostock 1945.
Küster, Chr. L.: Illustrierte Aesop-Ausgaben des 15. und 16. Jhs., 2. T., Diss. Hamburg 1970.
Hueck, M.: Textstruktur und Gattungssystem. Studien zum Verhältnis von Emblem und Fabel im 16. und 17. Jh., 1975.
Grubmüller, Kl.: Elemente einer literarischen Gebrauchssituation. Zur Rezeption der aesopischen Fabel im 15. Jh., 1975.
Weitere Literatur unter den einzelnen Dichtern.

a) Die Cyrill-Übersetzung des Ulrich von Pottenstein

Ulrich *von Pottenstein* hat mit seiner Übersetzung des ›Speculum Sapientiae‹ des Bischofs *Cyrill* nicht gerade gute Fabeldichtung gewählt. Die Sammlung des Cyrill kann ihren gelehrten Verfasser nicht verleugnen; man spürt in ihr die Philosophie und Theologie der Spätantike, sie erinnert an einen säkularisierten ›Physiologus‹. Den abstrakten Gedanken der Fabeln entspricht ihre Form: »Die Fabel *zeigt* nicht, was getan werden soll, sondern sie *sagt* es. Die Moral wird nicht demonstriert, sondern doziert« (Müller, S. 145). Ulrichs Bearbeitung dagegen, sein »Buch der natürlichen Weisheit«, um 1410 entstanden und 1490 erschienen, hat sich weitgehend von dieser gelehrten Tendenz befreit; sie ist volkstümlicher und zeigt eine größere Ausführlichkeit in der Beschreibung. Die Tiere werden näher charakterisiert, die Fabeln dadurch farbiger und lebendiger. Diese Tendenz wird durch die schmückenden Adjektive, die in der Vorlage fehlen, unterstützt und durch mehr oder weniger treffende Bibelzitate verdeutlicht. Ulrichs Übersetzung ist eine freie Übertragung, keine radikale Umformung.

Über die Wirkung des Cyrill und Ulrichs von Pottenstein – sein Buch ist die erste Fabelsammlung in deutscher Prosa – unterrichtet Rolf *Müller*. Die meisten späteren Fabelsammlungen oder Schwankbücher haben neben »Aesop« auch auf »Cyrill« zurückgegriffen. So findet man seine Fabelmotive bei Hans *Sachs*, Sebastian *Franck*, in Eucharius *Eyrings* Sprichwörtersammlung und im »Wendunmuth« des Hans Wilhelm *Kirchhof*. Über Daniel *Holtzmann* gelangen sie ins 18. Jh. zu August Gottlieb *Meissner*.

Literatur:

Grässe, J. G. Th.: Die beiden ältesten lateinischen Fabelbücher des Mittelalters, des Bischoffs Cyrillus Speculum sapientiae u. des Nikolaus Pergamenus Dialogus creaturarum, 1880 (BLVS 148); Neudruck 1965.
Schauf, G.: Die handschriftliche Überlieferung der deutschen Cyrillus-Fabeln des Ulrich von Pottenstein, Diss. Breslau 1935.
Müller, R.: Die Cyrillische Fabel und ihre Verbreitung in der deutschen Literatur, Diss. Masch. Mainz 1955.
Ranke, Fr.: Verf. Lex. Bd. 3, Sp. 918–923.
Holtzmann, K.: Der Meistersinger Daniel Holtzmann, Diss. Straßburg 1910.
Meissner, A. G.: Fabeln nach Daniel Holtzmann, 1732.

b) »*Das Buch der Beispiele der alten Weisen*« in der Verdeutschung des Antonius Pforr

Die zweite große Übersetzungsleistung im Zeichen des Humanismus auf dem Gebiet der Fabel ist die Verdeutschung des altindischen ›*Pantschatantra*‹. Die Übersetzung aus dem Lateinischen erfolgte auf Wunsch des Grafen Eberhard von Württemberg 1480 durch Antonius *Pforr*.

Der Übersetzer gibt in der Einleitung die Gründe an, die seiner Ansicht nach zur Fabeldichtung führten; die Fabeln wurden »umb dry ursachen [gedichtet]: des ersten, daz sy sach fünden irs ußsprechens [...] zum andern zuo kurtzwil der lesenden [...] zuom dritten wann die lernenden sind geneigt, zuo lesen die byspel, und sind inen lieplich zuo leren und beheltlich durch anzöugung der tier und vogel« (S. 1). Es ist die traditionelle Ansicht: der Dichter hat eine Absicht (die Belehrung), diese kleidet er in eine angenehme Geschichte, damit sie beachtet wird. Das gilt nach dieser Meinung für alle Dichtung; für die Fabel kommt die Wahl der Motive aus dem Tierreich hinzu, »damit sy sach fünden irs ußsprechens«, damit Stoff vorhanden ist, der eine Gestaltung erst erlaubt.

Bei der Anleitung zum richtigen Lesen deutet Antonius auch indirekt den Stil seiner Fabeln an: sie haben doppelten Boden und sagen nicht unbedingt offen, was sie meinen, denn der Lesende soll »in sinem gemüt betracht und merck, das dis buoch zwo verstendnuß hat, die ein offenbar, die ander verborgen, und glycht einer nuß, die ist zuo nicht, sy werde denn uffgebrochen und das iner verborgen teil versuocht« (S. 2). Die Verschleierung der Absicht mag notwendig geworden sein, weil das ›Pantschatantra‹ sich an hohe Personen wendet; es ist ein ›Fürstenspiegel‹, dient also der Belehrung eines Herrschers, der oft die Lehre einer Fabel selbst formuliert: »Tragheit irret mengen man«, sprach Dymna, »dann ich hab dine wort wol verstanden und din byspel« (S. 23).

Den fremden Ursprung der Fabeln erkennt man am ehesten an dem ausländischen Tierinventar: Schlange, Schildkröte und Kamel. Das ›Pantschatantra‹ ist daher kaum volkstümlich geworden, obwohl es wie alle Fabelsammlungen wiederholt aufgelegt wurde.

Literatur:

Das Buch der Beispiele der alten Weisen, hrsg. v. W. L. Holland, 1860. (BLVS 56).

Pantschatantra. 5 Bücher indischer Fabeln, übersetzt v. Th. Benfey, 2 Bde, 1859, Neudruck 1966.

Tantrakhyayika. Die ältere Fassung des Pañcatantra. Aus dem Sanskr. übers. mit Einl. u. Anm. von Johannes Hertel. 2 Teile in 1 Bd. 1909. Reprogr. Nachdr. 1970.

Beispiel der alten Weisen. Des Johann von Capua Übersetzung der hebr. Bearbeitung des indischen Pañcatantra ins Lateinische, hrsg. und übers. von Fr. Geissler, 1960.

Ruben, W.: Das Pañcatantra und seine Morallehre, 1959.

Goedeke I, § 97, S. 366.

c) Heinrich Steinhöwel

Alle bisher besprochenen Dichter und Bearbeiter an Wirkung übertrifft Heinrich *Steinhöwel* (1412–1478). Er kompiliert und übersetzt aus dem antiken ›Corpus fabularum aesopicarum‹ über 140 Motive, daneben etwa zehn Facetien des Poggio. Seine Bearbeitung – um 1480 bei Johann Zeiner in Ulm gedruckt (mit 100 Holzschnitten) – wird bald in verschiedene Sprachen übersetzt und später immer wieder neu aufgelegt. Sie ist *die* große Motivsammlung bis zu Burkhard Waldis.

In einer umfangreichen Vorrede gibt Steinhöwel seine Absicht und Methode bekannt: die einzelnen Fabeln und »schimpfreden« wurden »uß latin von doctore Hainrico Stainhöwel schlecht und verstentlich getütscht, nit wort uß wort sunder sin uß sin« (S. 4). Steinhöwel versucht, ein lesbares Deutsch zu schreiben. Das versteht er unter »sin uß sin«. Er hält sich nicht an den Wortlaut und die Syntax seiner Vorlage, sondern versucht, in verständlichem Deutsch ihren Kern wiederzugeben. Er wendet sich ausdrücklich gegen die Reimübersetzungen vor ihm: »Hie wirt ouch allain die gemain ußlegung nach schlechtem tütsch ungerymt geseczet, nit wie sy vor in tütschen rymen geseczet sint, umb vil zuogelegte wort zemyden und uf das nächst by dem text zu belyben« (S. 5). Das trifft eindeutig die langen Paraphrasen bei Boner. Steinhöwel beschränkt sich auf kurze, sprichwortartige Zusammenfassungen. Das für ihn Bedeutsame formuliert er: »Also wer das büchlin lesen wil, der soll die farb der bluomen, das ist die märlun oder fabeln, nit groß achten, sunder die guote lere, dar in begriffen, zuo guoten sitten und tugent zu lernen« (S. 4).

Bei Steinhöwel ist schon eine präzisere Vorstellung von der Fabel als Gattung vorhanden: Bewußtsein der Fiktion, Beseelung des Unbeseelten, Unterhaltung und Belehrung bilden den Kern. Die Lehre steht sowohl zu Beginn als auch in anderer Formulierung am Ende der Texte: »Die viii fabel von dem wollf und kranch« beginnt: »Welcher den bösen wol tuot, der würt selten belönet«, sie endet: »Dise fabel warnet alle, die den bösen wellent dienstlich syn oder guotes bewysen« (S. 89). Oft vermittelt er Spruchweisheit, die dann unter der Prosaformulierung leidet. Die Wahrheit der Lehre ist dabei immer »gemain«, d.h. sie wird allgemein formuliert und ist gemeinverständlich und jedermann bekannt. Auch die Motive sind die alten: das Schicksal des Schmeichlers, der falsche Freund, die Ungerechtigkeit der Mächtigen. »Die vi fabel von dem löwen, rind, gaiß und schauf« beginnt: »Es ist ain gemain sprichwort: Nicht gesell dich zuo gewalt, so behelt dyn wesen ouch ain guot gestalt« (S. 86). Durch diese Form – bekanntes Sprichwort, das schon am Anfang steht – fehlt der Fabel eine Pointierung; sie ist dazu nicht mehr fähig. Der Nachdruck liegt daher auf der Darstellung von Welt. Die Erzählung wird wichtig, sie soll möglichst plastisch die Lehre verdeutlichen.

Literatur:

Steinhöwels Esopus, hrsg. v. H. Oesterley, 1873. (BLVS 117).
Knust, H.: Steinhöwels Aesop, in: ZfdPh 19, 1887, S. 197–218; 20, 1888, S. 237 (Nachtrag).
Strauch, Ph.: Steinhöwel, in: ADB 35, 1893, S. 728–736.
Borvitz, W.: Die Übersetzungstechnik Steinhöwels, Diss. Halle 1914.
Goedeke I, § 97 S. 369 f.

d) Martin Luther

Wie ungemein hoch Martin *Luther* (1483–1546) die Fabel ein-schätzte, geht aus einem Brief an Melanchthon hervor (vom 24. April 1530): »Pervenimus tandem in nostrum Sinai, charissime Philippe, sed faciemus Sion ex ista Sinai aedificabimusque ibi tria tabernacula, Psalterio unum, Prophetis unum et Aesopo unum« (S. XI) (»Wir gelangen dann endlich in unser Sinai, geliebter Philipp, aber wir werden Sion aus diesem Sinai machen und dort drei Hütten bauen: dem Psalter eine, den Propheten eine und eine dem Aesop«). Diese Wertschätzung hat sich auf seine Kampfge-nossen übertragen, obgleich Luthers Stellung zur Fabel sich stark von der seiner Freunde unterscheidet: er benutzt die Fabel nicht als Kampfmittel für die Reformation.

Die wenigen – dreizehn – Fabeln Luthers zeichnen sich formal durch knappste Prosaformulierungen aus. Was Steinhöwel noch in zwei Haupt-sätze kleidet, formuliert Luther in einem – nicht gepreßten oder unüber-sichtlichen, vielmehr leicht fließenden – Satzgefüge:
Steinhöwel: »Ain husmus gieng über feld und ward von ainer feldmus gebeten, by ir ze herbergen. Von der sie ward wol und schon in ir klaines hüslin enpfangen, und mit aicheln, und gersten gespyst« (Oesterley, S. 93).
Luther: »Ein Stadmaus gieng spacieren / und kam zu einer Feldmaus / die thet ir guetlich / mit Eicheln / Gersten / Nuessen / und womit sie kund« (Steinberg, S. 67).

Der holzschnitthaften Kargheit entspricht, daß Luther Erzäh-lung und Lehre klar trennt. Für irgendwelche verbindenden Über-leitungen ist kein Platz. Die Trennung wiederum betont die poeti-sche Wirkung der Erzählung; sie ist selbständig, in sich sinnvoll. Die Lehre ist eine angehängte Meditation, die durchaus fehlen könnte. Der Leser soll zu eigenem Mitdenken angeregt werden. Diese Tendenz wird deutlich, wenn die Erläuterung selbst bildhaft ist: »Wenn man dem hunde zu will / so hat er das ledder gefressen / Wenn der wolff wil / so ist das lamb unrecht«. Mit diesen Sätzen wird die Lehre aus der zweiten Fabel gezogen (»Vom Wolff und Lemlin«, S. 28). In der Lehre selbst taucht die geschilderte Situation sprichwörtlich verdichtet auf; die Erzählung erscheint als Exegese eines bekannten Sprichworts. Diese Art, weitgehend im bildlichen Bereich zu bleiben und abstrakte Formulierungen zu meiden, hebt die Wirkung der Fabel: der Leser wird nicht aus dem Erzählton gerissen, die Lehre überfordert ihn nicht durch eine ungewohnte Höhe der Abstraktion.

Literatur:

Luther, M.: Ein newe fabel Esopi newlich verdeudscht gefunden, Vom Lawen und Esel. (1528), abgedruckt in: D. Martin Luthers Werke, Krit. Gesamtausgabe, Serie 1, Bd. 26, 1909, S. 534–554.
Thiele, E. (Hrsg.): Luthers Fabeln nach seiner Handschrift und den Drucken, ²1911.
Steinberg, W. (Hrsg.): Martin Luthers Fabeln, 1961. (Danach die Zitate.)
Berger, A. E. (Hrsg.): Grundzüge evangelischer Lebensformen, 1930. (Dt. Literatur in Entwicklungsreihen, Reihe Reformation, Bd. 1).
Franke, C.: Luthers Fabeln, 1915.
Both, W. *von*: Luther und die Fabel, Diss. Masch. Breslau 1927.
Götze, A.: Luthers Fabeldichtung, in: The Germanic Review 5, 1930, S. 127–131.
Schirokauer, A.: Luthers Arbeit am ›Äsop‹, in: Modern Language Notes 62, 1947, S. 73–84.
Doderer, K.: Über das ›betriegen zur Warheit‹. Die Fabelbearbeitungen Martin Luthers, in: Wirkendes Wort 14, 1964, S. 379–388.

e) Erasmus Alberus

Von den insgesamt 49 Fabeln des Erasmus *Alberus* (ca. 1500–1553) – erschienen 1550 unter dem Titel: ›Das Buch von der Tugent und Weißheit‹ – wurden schon siebzehn im Jahre 1537 veröffentlicht. Alberus wird also nicht von Luther beeinflußt worden sein, erschienen doch dessen Fabeln erst 1557 im Druck. Die Widmung der ersten Ausgabe zeigt auch deutlich, daß Alberus durch eigene Überlegungen die Fabel schätzen lernte: »[...] sintemal ein yeglicher zimlichs verstands weiß, daß man auß den fabulis moralia lernet [...] und Christus unser herr selbst lust gehabt durch gleichnissen sein Euangelium zu leren« (S. IX). Das Beispiel der Heiligen Schrift hat ihn bestärkt, auf die bildliche Vermittlung von moralischen Lehren zurückzugreifen. Die Fabeldichtung ist hierzu besonders geeignet, denn »Die fabulae leren gute sitten und tugende schimpffs weiß und lachends munds« (ebda).

Alberus hat sich aber nicht nur auf die Darstellung von »guten sitten und tugenden« beschränkt: er greift ganz energisch Mißstände des Tages an und kämpft auf der Seite Luthers gegen die alte Kirche und ihre Einrichtungen, besonders gegen das Papsttum.

Formal zeichnen sich seine Fabeln durch epische Breite aus. Bei Alberus läßt sich ein ganz individueller Fabeltyp nachweisen. Der erste Teil bringt eine ausführliche geographische Schilderung. Sie hat mit der eigentlichen Fabel nichts zu tun und wird nur durch eine formale Überleitung mit der Fabelhandlung verbunden. Diese Ortsangaben und -beschreibungen haben eine dreifache Funktion: einmal bilden sie eine kleine Geographie seiner weiteren Heimat (Hessen). Spätere Ausgaben erscheinen mit dem Vermerk »sampt etlicher Orts Teutscher Lands lustiger Beschreibung« (Ausgabe D, Frankfurt bei Feyerabendt, 1579). Dann bieten sie eine Möglichkeit, direkt in das Tagesgeschehen einzugreifen; sie werden benutzt, um bestimmte Mißstände aufzuzeigen oder vorbildliche Zustände zu loben. Schließlich sichern sie der Fabel eine realistische Fiktion.

Die Ortsangaben verstärken eine Tendenz, die immer dann auftritt, wenn die Fabel ironisch-satirisch wird und sich eng auf zeitnahe, menschliche Verhältnisse bezieht: die Fabel wirkt nicht mehr symbolisch, sondern allegorisch. Das Tier steht nicht mehr integrativ in einer ihm gemäßen Umwelt, vielmehr wird von ihm eine Eigenschaft entlehnt und auf Menschen übertragen. Die Fabel ist in diesem Stadium nicht mehr vieldeutig: sie umschreibt nicht den Lauf der Welt, sie steht nicht als einzelnes verdichtetes Beispiel für eine große Zahl von Möglichkeiten. Sie ist zu einem eindeutigen Tendenzstück geworden. *Braune* schreibt in seiner Einleitung: »Und da kann es ja dann gar nicht anders sein, als daß die Fabeln durchaus menschliche sind, denn das Tierleben wäre unausgiebig, selbst wenn der Dichter sich nach dieser Seite hin bemühen wollte« (S. LXf.).

Literatur:

Die Fabeln des Erasmus Alberus, hrsg. v. W. Braune, 1892. (Neudrucke dt. Literaturwerke 104–107.) Teildruck: DNL 19, S. 347–393.
Goedeke II, § 156.

f) Burkhard Waldis

In 400 Fabeln verarbeitet Burkhard *Waldis* (1490 bis 1556) fast sämtliche Fabelmotive, die seinerzeit bekannt waren. Er hält sich bis zur 84. Fabel des dritten Buches an seine Quelle, eine Kompilation von Fabeln der verschiedensten Autoren, in lateinischer Sprache von Martinus Dorpius herausgegeben. Danach greift er auf Schwänke zurück, wie sie etwa in Paulis Sammlung vorlagen.

Überraschend ist, daß Waldis laut Widmung für die »liebe Jugend, Knaben und Jungfrauen« schreiben will (Tittmann, S. LV), eine Tendenz, die erst im 18. und 19. Jh. auftritt. Die Fabel wird auf dem Höhepunkt ihrer Verbreitung in ihrer Wirkung eingeengt; sie soll nicht mehr alle erreichen. Es ist allerdings kaum denkbar, daß die Fabel von älteren Lesern nicht beachtet wurde und daß man sie nur als Kinderlektüre behandelte; vielmehr werden die Fabeln jetzt auch für Kinder gedichtet.

Ähnlich wie Steinhöwel und die lateinischen Vorlagen kennt Burkhard Waldis abstrakt belehrende Vorbemerkungen. Seine Fabeln vermitteln weitgehend allgemeine Lebensklugheit und halten sich von zeitnaher religiös-politischer Polemik fern. Besonders wenn es darum geht, handfeste Einsichten zu vermitteln, bedient Waldis sich des Sprichworts:

»Beßer ein sperling in der hand
denn ein gans daußen (!) auf dem Sand«   (4. Fabel des 1. Buches).

Seine Fabeln sind oft relativ kurz, zumindest im Vergleich zu Alberus. Die Erzählung ist nicht viel länger als die Lehre, die stark betont wird. Seine Sprache ist bilderreich, so daß die lehrhafte Tendenz nicht sehr auffällt; selbst in der Lehre tauchen wieder Bilder auf, die eigentlich einer Erläuterung bedürften. Daß sich seine Bearbeitung durch »muntere Einfälle« auszeichnet, hat schon *Gellert* betont (vgl. die Ausgabe der theoretischen Schriften durch Scheibe, S. 138). Der letzte Herausgeber *Tittmann* bescheinigt Waldis, daß es ihm gelinge, »alles in das Poetische zu erheben« (S. LXI). Hierzu tragen wohl nicht zuletzt die Bilder aus dem städtischen Leben, Lokalschilderungen und die derbe Komik bei (*Stammler*: Von der Mystik zum Barock, ²1950, S. 225 f.). Das Urteil *Kaysers*, der im Hinblick auf Alberus und Waldis von »bürgerlicher Fabeldichtung« spricht und meint, daß zwar ein Gehalt an christlicher Lehre vorhanden sei, aber »vielfach nur Kritik an den allgemeinen moralischen oder sozialen Zuständen« der Zeit geübt werde, ist durchaus zutreffend. Kayser übersieht jedoch die allgemeine Lebensweisheit, die Ratschläge für das tägliche Leben, die beide Dichter erteilen wollen.

Literatur:

Esopus, Gantz New gemacht, und in Reimen gefaßt. Mit sampt Hundert Newer Fabeln von Burkhard Waldis, hrsg. v. H. Kurz, 2 Bde, 1862.
Esopus von Burchhard Waldis, hrsg. v. J. Tittmann, 2 Bde, 1882. (Dt. Dichter des 16. Jhs, Bd. 16/17); Teildruck in: DNL 19, S. 273–346.
Berger, A. E.: Die Schaubühne im Dienste der Reformation, 1935. (Dt. Literatur in Entwicklungsreihen, Reihe Reformation, 5).
Martens, E.: Entstehungsgeschichte von Burkhard Waldis' Esop, Diss. Göttingen 1907.

Gassner, J.: s. unter Hagedorn (S. 83) und Gellert (S. 85).

Goedeke I, § 156.

Zachariä, J. F. W.: Fabeln und Erzählungen in Burkhard Waldis' Manier, 1771, 1777.

g) Die Meistersinger

Stellvertretend für die Meistersinger, die eine Fülle von Fabelmotiven gestaltet haben, soll auf Hans *Sachs* (1494 bis 1576) hingewiesen werden. Von ihm sind etwa 190 Fabelbearbeitungen bekannt; einzelne Themen sind von ihm mehrmals bearbeitet worden. Etwa 140 Motive hat Hans Sachs in der Art des Meistersangs verfaßt, 50 als Spruchgedichte. Die Quellen, die Hans Sachs benutzte, waren die vorhandenen Sammlungen, also vor allem Steinhöwel, Ulrichs von Pottenstein »Cyrill«, die Schwanksammlungen Paulis und Burkhard Waldis. In den Meistergesängen bringt Hans Sachs zwar zusätzliche Einzelheiten – er läßt die Fabelhandlung z. B. an einem bestimmten Ort spielen –, hält sich aber sonst weitgehend an seine Vorlage, bietet also eine getreue Bearbeitung in verschiedenen Tönen. Er geht dabei so vor, daß er meistens zwei Strophen der Erzählung und eine der Lehre vorbehält. In den Spruchgedichten, wo er nicht durch strenge Silben- und Reimvorschriften eingeengt ist, erweitert er seine Vorlagen oft stark; er bringt zeitbezogene Umdeutungen. Hans Sachs erzählt die Handlung immer zu Ende; er ist kein Moralist, der nach erreichtem Zweck abbricht. Seine moralischen Anweisungen sind deshalb nicht kurz, er ist auch hier ausführlich.

An den Fabelbearbeitungen des Hans Sachs läßt sich eher das Typische des Meistersangs demonstrieren als das Besondere der Fabel. Die strengen Regeln der Zunft dringen überall durch und assimilieren die überlieferte Prosa- oder Reimfassung.

Literatur:

Sämtliche Fabeln und Schwänke des Hans Sachs. In chronologischer Ordnung hrsg. v. E. Goetze, Bd 1–6, 1893 bis 1913, ²1953. (Neudrucke dt. Literaturwerke. 110/117, 126/134, 164/169, 193/199, 207/211, 231/235).

Grimm, W.: Thierfabeln bei den Meistersingern, in: Kleinere Schriften Bd 4, 1887, S. 366–394.

Stiefel, A. L.: Über die Quellen der Fabeln, Märchen und Schwänke des Hans Sachs, in: Hans Sachs-Forschungen. Festschrift zum 400. Geb. des Dichters, 1893, S. 33–192.

Geiger, E.: Hans Sachs als Dichter in seinen Fabeln und Schwänken, Progr. Burgdorf 1908.

Ricklinger, E.: Studien zur Tierfabel von Hans Sachs, Diss. München 1909.

Zirn, A.: Stoffe und Motive bei Hans Sachs in seinen Fabeln u. Schwänken, Diss. Würzburg 1924.
Könneker, B.: Hans Sachs, 1971, S. 44ff. (Sammlung Metzler. 94.)
Zum Meistersang vgl. noch:
Nagel, B.: Meistersang, ²1971. (Sammlung Metzler. 12.)

h) Die Schwanksammlungen

Was sich in den Fabeln Steinhöwels vorbereitet, wird in den Schwanksammlungen deutlich: ein Gefühl für die strenge Form der Fabel ist nicht vorhanden oder geht langsam verloren. Denn die Unterhaltungsbücher des 16. Jhs. bringen nebeneinander Erzählungen, Schwänke und echte Fabeln. Dabei lassen sich – je nach Autor verschieden – die alten Tendenzen beobachten:

In der Schwanksammlung des Franziskanermönches Johannes *Pauli* (geb. ~ 1455) »Schimpf und Ernst« (1522) überwiegt die moralisch-pädagogische Tendenz. Die Erzählung ist oft knapp, die Lehre dagegen breit ausgebaut und meistens religiös geprägt: im 174. Stück, der Fabel vom Schilfrohr und dem Eichbaum, wird auf den Unterschied von Demut und Hoffart hingewiesen (Oesterley, S. 120). Der Hund, dem das Stück Fleisch entfällt, demonstriert, wie die Menschen himmlische und weltliche Freude verwechseln und verspielen (S. 256f.). Trotz der Lust zum Moralisieren zügelt er sich oft: »Das vorig exempel und dis haben vil uszlegung, wan ich wolt predigen schreiben« (S. 259). Er bringt die Lehre knapp und präzise in einer sprichwörtlichen Prägung: »Also kumtes oft, das einer einem ein gruob grebt und felt er selber darin« (S. 287).

Diesen Zug zur einprägsamen Formulierung teilt Pauli mit Hans Wilhelm *Kirchhofs* (geb. ~ 1525) »Wendunmuth« (1563; bis 1603 sieben Bücher), der erst gegen Ende der Epoche erscheint. Kirchhof reimt die Lehre meistens. Dabei kommt es vor, daß die Prosaerzählung eine Lehre ausspricht und daß dann noch ein gereimter Spruch folgt, der durchaus nicht immer mit dem ersten Satz übereinstimmt. Obwohl er weltlicher gesinnt ist als Pauli, belegt Kirchhof seine Lehren oft mit Bibelstellen. Daß er stark zur Unterhaltung tendiert, beweist die epische Ausgestaltung der Erzählung; in der Fabel von der Stadt- und Feldmaus beschreibt er die Stadtwohnung: »die schönen weichen wolzuogerichteten beth, mit güldenen stücken, purpur und seiden umhängt und gedeckt, item die übergülten taffeln, sammaten ...« (Bd. 1, S. 76). Er hat keine klare Gattungsvorstellung und trennt ›histori, fabel‹ nicht begrifflich. Er kompiliert je nach den Quellen, die ihm gerade vorliegen; so sind die rund 200 Nummern des 7. Buches fast ausschließlich Fabeln im strengen Sinn, während in den anderen Büchern nur vereinzelt Fabelmotive auftauchen.

In den Themen ist er umfassend; bei ihm findet sich wieder der bekannte Typenkatalog: der dumme Bauer, der unberechenbare Landsknecht, Ehebruchsgeschichten und Schilderungen der Zustände in den Klöstern – allerdings ohne Invektiven. Er schaltet sich nicht in die politisch-religiösen Auseinandersetzungen seiner Zeit ein. Von scharfer Kritik hält er sich fern; er beschimpft oder lobt bestimmte Zustände ohne entschiedene Stellungnahme.

Literatur:

Pauli, J.: Schimpf und Ernst, hrsg. v. H. Oesterley, 1866. (BLVS 85); hrsg. v. Joh. Bolte, 2 Bde, 1924.
Kirchhof, H. W.: Wendunmuth, hrsg. v. H. Oesterley, 1869ff. (BLVS 95–99).
Stammler, W.: Von der Mystik zum Barock, 1927, ²1950.
Strassner, E.: Schwank, ²1978 (Sammlung Metzler 77).

4. Das Weiterleben der Fabel im Barock

Schon in der zweiten Hälfte des 16. Jhs. ging die Auflagendichte der Fabelsammlung zurück. Erasmus Alberus erschien 1534, 1550, 1557, 1559 in rascher Folge, dann nur noch 1590 und 1597; Burkhard Waldis wurde 1548, 1555, 1557, dann wieder 1565 und 1584 gedruckt, danach nicht mehr. Gedichtet oder neu bearbeitet wurde seit 1602, in dem die letzte Auflage von Kirchhofs »Wendunmuth« erschien, bis 1740, dem Erscheinungsjahr von Daniel Stoppes Fabeln, nichts Wesentliches. Einzelne Neuerscheinungen (Wohlgemuth, Harsdörffer, Rabener, Riederer) ändern nicht viel an diesem Bild. Die Flut der Drucke beginnt erst wieder um 1740. Im Barock versiegt die Fabeldichtung für anderthalb Jahrhunderte, was um so mehr irritiert, wenn man bedenkt, daß in Frankreich zu dieser Zeit *La Fontaine* (1621–95) dichtet; seine Fabeln erscheinen 1668–1693. Innerhalb der Entwicklung der Fabel ist dieser Rückgang etwas Neues; denn mit dem Stricker war über die vielen anonymen Bearbeitungen der Spruchdichter, über Boner und Gerhard von Minden die Verbreitung der Fabel gleichmäßig gewachsen bis zu ihrem großen Aufblühen im Zeitalter des Humanismus und der Reformation.

Es gibt in der Literatur nur wenig Versuche, Gründe für diesen Rückgang zu fixieren; man begnügt sich weitgehend mit einer Registrierung. Max *Staege*, der sich dem Barock in seiner Abhandlung besonders zuwendet, meint, daß der »anspruchsvolle Barockgeschmack« an diesem »unansehnlichen Dichtungsprodukt« kein Gefallen finden konnte. Mit ihrer unhöfisch-schlichten Form widerspreche die Fabel dem Zeitgeschmack (S. 17). Staege verweist weiter darauf, daß protestantische Zeloten scharf gegen die Fabel auf den Plan traten: gegen die Art von Alberus, seine Fabeln durch das Evangelium zu rechtfertigen und gegen Luthers (unbekanntes) Vorbild (vgl. seine Nachweise S. 17). Hierdurch wäre zumindest der Rückgang der Fabel in den protestantischen Landesteilen erklärt. *Kayser* glaubt, daß die »einheitliche Autorität, die durch den Menschen hindurch zur Gesamtheit spricht und Denken und Lebensführung bestimmt«, fehle (S. 28). Auch diese These stimmt nur mit Einschränkung: in den katholischen Gebieten gab es diese Autorität immer und trotzdem versiegte auch hier die Fabeldichtung. Richtiger ist, daß die Fabel keine Autorität benötigt. Sie überzeugt nicht durch Macht, sondern durch Beispiel. Ihre Wirkung beruht auf der Einsicht in die Notwendigkeit des Dargestellten. Kayser meint zudem, daß die »Wendung an die Masse«, die für die Fabel typisch sei, dem Barock fehle; Opitz blicke nur verächtlich auf den »gemeinen Pövel« (S. 29).

Zunächst kann man bedenken, welche Ursachen der Auflagenrückgang in der zweiten Hälfte des 16. Jhs. hatte; hier bietet sich eine Lösung an: durch die hohe Auflagenzahl um die Jahrhundertmitte war der Bedarf weitgehend gesättigt. Einzelne Auflagen sorgten für die neu entstehenden Bedürfnisse, aber eine lohnende Absatzmöglichkeit war für die Drucker nicht mehr vorhanden. Mit dem Beginn des Dreißigjährigen Krieges und seinem Verlauf sanken die Möglichkeiten weiter. Was nun für die ehemaligen Fabelleser gedruckt wurde, waren Kalendergeschichten, Zeitungen und sonstige Flugblätter mit historisch-realem Inhalt. Die Zeit scheint realitätshungrig gewesen zu sein. Der Leser wollte Nachrichten, handfeste Berichte über tatsächlich geschehene Ereignisse. Die zeitlose Fabel befriedigte das Informationsbedürfnis der Zeit nicht. In diesem sozialpsychologisch faßbaren Phänomen scheint ein Hauptgrund für das Verschwinden der Fabelbearbeitungen zu liegen. Die Einstellung des einzelnen zur Literatur hat sich geändert. Sie ist auf Information gerichtet – nicht auf Vermittlung von Motiven, die man schon seit der Kindheit durch mündliche Überlieferung kannte. Denn daß die Fabelkenntnis auch im Barock nicht nachließ, dafür gibt es Beispiele:

Einmal dienten die lateinischen Sammlungen des ›Romulus‹ und anderer noch immer als Schullektüre; der Lateinschüler wurde also mit den Fabelmotiven bekannt. Diese Kenntnis wirkte – etwa in der Predigt – wieder auf den Laien: der Prediger gebrauchte die

Beispiele, die er gelernt hatte, um seine Rede anschaulicher zu machen. Literarisch faßbar wird diese Verbreitung der Fabel im Werk des *Abraham a Sancta Clara* (1644–1709): bei ihm finden sich viele Fabeln innerhalb der einzelnen Predigten (vgl. die Nachweise bei Schmid). Oft spielt er nur auf eine Fabel an, erzählt also nicht die ganze Handlung (er kann ihre Kenntnis als bekannt voraussetzen); er benutzt nur ihren Veranschaulichungswert, um seine gegenwärtige Absicht zu demonstrieren, weil er weiß, daß er durch Geschichten stärker wirkt als durch abstrakte Belehrung. In »Judas der Ertz-Schelm« schreibt er: »Solange ein Prediger ein schoene, zierliche, wolberedte, ein auffgebutzte, mit Fabeln und Sinnreichen Sprüchen unterspickte Predigt macht, da ist jedermann gut Freund [. . .] Wann aber er anfangt großen Herren die Warheit zu sagen [. . .] Er verfeindet sich allenthalben« (DNL Bd 40, S. 133 ff.). Die Fabel als literarische Form ist bei ihm Bestandteil der Predigt, dadurch ändert sich an ihrer Erscheinungsweise manches: es geht Abraham a Sancta Clara nicht darum, die tradierte Form zu erhalten; er verändert nicht nur die Lehre beliebig, sondern auch die äußere Form: die Vermischung zweier oder mehrerer Motive der traditionellen Fabel zu einer Erzählung ist bei ihm nicht selten. Ein Fabelmotiv genügt nicht mehr, um die beabsichtigte Wirkung zu erreichen. Die Kontamination zweier Motive kann Zeichen für das Absinken der Fabelwirkung sein. Andererseits wird die typische Entstehungsweise der Abrahamschen Werke diese Erscheinung begünstigt haben: sie wurden gesprochen, gepredigt. Es ist denkbar, daß im Konzept die unvermischte Form stand und daß erst die durch assoziatives Denken getragene Predigt eine Koppelung mit sich brachte.

Literatur:

Harsdörffer, G. Ph.: Nathan und Jotham: das ist Geistliche und Weltliche Lehrgedichte [. . .] 1650.
Wohlgemuth, H.: Neuer und vollkommener Esopus, 2 Tle. 1623, vgl. hierzu H. Kurz in: Esopus von Burkhard Waldis, 1862, T. 1, S. XVIIf.
Schupp, J. B.: Schriften, 1663.
Hundert Fabeln. Mehrenteils aus Esopo, etliche von D. Mart. Luther und Herrn Mathesio [. . .] 1672.
Rabener, J. G.: Nützliche Lehrgedichte, 1691.
Lust-Lehr-reiche Sittenschule, Eröffnet und aufgerichtet nach Anlaß der Sinn-reichen Fabeln Aesopi, 3 Bde, ²1705.
Francken, S.: Teutsch-Redender Phädrus, 1716.
Riederer, J. Fr.: Aesopi Fabuln in teutschen Reimen [. . .] 1717.
Abraham a Sancta Clara: Sämtliche Werke in 21 Bänden, 1835.

Brandt, W.: Der Schwank und die Fabel bei Abraham a Sancta Clara, Diss. Münster 1923. (Nachweise)

Moser-Rath, E.: Predigtmärlein der Barockzeit. Exempel, Sage, Schwank und Fabel in geistlichen Quellen des oberdt. Raumes, 1964 (= Suppl.-Serie zu Fabula, Serie A, Texte, Bd. 5).

Schmid, K.: Studien zu den Fabeln Abrahams a Sancta Clara, Diss. München 1928. (Nachweise)

Goedeke III, § 190.

Schiff, O.: Rudolf von Dieskau, in: Neues Archiv für Sächsische Geschichte u. Altertumskunde 56, 1935, S. 15–21 (über die Tierdichtung »Legation der Esel in Parnassum«).

Staege, M.: Geschichte der Fabeltheorie, Diss. Basel 1929.

Kayser, W.: Die Grundlagen der deutschen Fabeldichtung des 16. u. 18. Jhs, in: Archiv f. d. Studium d. neueren Sprachen 160, 1931, S. 19–33.

5. Die Blütezeit der Fabel im 18. Jahrhundert

a) Überblick

Als die Erinnerung an den Dreißigjährigen Krieg verblaßt war, wich auch die pessimistische Grundstimmung: ab 1721 erschienen Barthold Heinrich Brockes' Naturgedichte. Der Optimismus war in die Dichtung zurückgekehrt und mit ihm die Möglichkeit, eine neue Dichtungstheorie aufzustellen. So umstritten und uneinheitlich diese neue Poetik auch war, so lassen sich doch zwei grundlegende Thesen erkennen: Dichtung hat schön und nützlich zu sein (Gottsched); sie muß wunderbar sein (Bodmer und Breitinger). In dieser Einstellung liegt ein Hauptgrund für das überraschende Aufblühen der Fabelliteratur im 18. Jh.; denn die alte aesopische Fabel paßte in dieses Schema.

Goedeke (IV/1 § 210) nennt für den Zeitraum von 1740 bis 1800 mehr als fünfzig Fabeldichter, wobei die bekanntesten – Hagedorn, Gellert und Lessing – nicht mitgerechnet werden. Die Bevorzugung der Fabel erhielt sich jedoch nicht durch das ganze Jahrhundert konstant: die Jahre von 1740 bis 1770 bringen die Vielzahl der Veröffentlichungen. Vor dem Beginn der Blütezeit um 1740 waren nur wenig Bearbeitungen erschienen. Nach 1770 nimmt im Vergleich zu dem Zeitraum vom 1740 bis 1770 sowohl die Zahl der Fabeldichter als auch die Auflagendichte der populären Fabelsammlungen ab. Der Grund für das Zurücktreten der Fabel, überhaupt der lehrhaften Formen aus der Dichtung wird deutlich, wenn man beachtet, was um 1770 auf dem literarischen Markt erscheint: 1771 wird die erste Sammlung von Klopstocks Oden

veröffentlicht; im September des folgenden Jahres konstituiert sich
der Göttinger Hain. Das literarische Interesse hat sich gewandelt,
die Ansicht von Dichtung hat sich verschoben (vgl. Goethes Äuße-
rungen über die Fabel in »Dichtung und Wahrheit« Teil II, Buch 7;
Hamburger Ausgabe, Bd. IX, S. 263).

Literatur:

a) Texte (chronolog.; nicht verschwiegen darf werden, daß viele der hier
   genannten Titel bibliothekarisch z. Z. nicht nachgewiesen sind und
   (vielleicht nie mehr) beschafft werden können):

Stoppe, D.: Neue Fabeln oder Moralische Gedichte [. . .] 1738, 2. Teil
1740.
Triller, D. W.: Neue Äsopische Fabeln, worinnen in gebundener Rede
allerhand erbauliche Sittenlehren und nützliche Lebensregeln vorgetra-
gen werden, 1740.
Bock, J. G.: Der deutsche Aesop [. . .] 1743.
Meyer von Knonau, J. L.: Ein halbes Hundert Neuer Fabeln, 1744;
3. vermehrte u. verbess. Aufl. 1757, (vergl. *Prosch*, Fr.: Das Fabelbuch
Meyer von Knonaus in Auswahl hrsg. u. eingeleitet, Progr. Wien 1891).
Dazu: *Leemann-van Elck*, P.: Der zürcherische Äsop, in: Stultifera
navis 1, 1944, S. 80–83.
J. L. F. (Anonymus): Die Thorheit der verderbten Welt in Neuen Fabeln
vorgestellt, 1745.
Sucro, Chr. J.: Versuche in Lehrgedichten und Fabeln, 1747.
Funk J. N.: Christian Wahrmunds Poetische zur Tugend und Vorsichtig-
keit leitende Fabeln, 1748.
Lichtwer, M. G.: Vier Bücher Aesopischer Fabeln in gebundener Schreib-
Art, 1748; dazu: *Ellinger*, G.: Über Lichtwers Fabeln, mit einer verglei-
chenden Betrachtung der Fabeln Gleims und Pfeffels, in: ZfdPh 17,
1885, S. 314–340; *Otto*, P.: Lichtwer und seine Fabeln, in: Festschrift f.
Fedor von Zobeltitz, 1927, S. 165 bis 187.
Anonymus: Neue Fabeln und Erzehlungen in gebundener Schreibart, 1749.
Holberg, Ludwig *von*: Moralische Fabeln mit beygefügten Erklärungen
einer jeden Fabeln. Aus d. Dänischen [. . .] durch J. A. S., 1751.
Helck, J. Chr.: Fabeln, 1751, ²1755.
Neue Fabeln und Erzählungen, nebst einer Vorrede Herrn Daniel Wilhelm
Trillers, 1752.
Pfeil, J. G.: Fabeln und Erzählungen, 1754.
Sylvanus aus Philyrea: Fabeln und Erzehlungen, 1753.
A. (Anonymus): Poetische Ausarbeitungen, 1754.
Petersen, P. E.: Funfzig moralische Fabeln, 1754, Neue Fabeln 1756.
Petermann, K. M. W.: Fabeln und Erzehlungen, 1756.
Unzerinn, Joh. Charlotte: Versuch in sittlichen u. zärtlichen Geschichten,
1754.
Reichel, J. N.: Schriften vor den Witz und das Herz, 1756.

Gleim, L.: Fabeln, 1756; 2. Buch 1757; nochmals: Lieder, Fabeln und Romanzen, 1758; Fabeln, 1768; Fabeln für das Jahr 1795.
Anonymus: Fabeln und Erzählungen von Tieren, 1759.
Reupsch, J. Fr.: Fabeln aus dem Alterthume, in vier Büchern, 1760.
Neugebauer, W. E.: Die Fabeln des Fuchses, 1761.
Anonymus: Nachahmungen in Fabeln und Erzählungen, 1761.
Eissfeld, M. E.: Fabeln und Erzehlungen, 1761.
Schrenkendorf, G.: Fabeln und Erzählungen, 1762.
Moser, F. K. *von*: Der Hof in Fabeln, 1762, ²1768; nochmals: Fabeln, 1786; Neue Fabeln, 1789.

Westphalen, J. H.: Fabeln und Erzählungen, 1763.
Anonymus: Fabeln, Erzählungen und Schertze, 1763.
Blanke, Ph. K.: Fabeln und Erzählungen, 1764.
Anonymus: Fabeln und Erzählungen mit derselben Figuren, 1764.
Blanck, B. C.: Fabeln und Erzählungen, 1764.
Willamov, J. G.: Dialogische Fabeln in zwey Büchern, von dem Verfasser der Dithyramben, 1765, ²1791.
Michaelis, J. B.: Fabeln, Lieder und Satyren, 1766; teilweise abgedruckt in: Zwanzig Fabeln und Mährchen für Kinder, in: Neues Lausitzisches Magazin 63, 1888, S. 361–369.
Leyding, J. D.: Fabeln, Erzählungen, epigrammatische und andere kleine Gedichte, 2 Theile 1763–64; nochmals: Zwei Fabeln, in: Hamburgische Correspondence 37, 1765.
Weitzler, G. Chr.: Nachrichten von den Sitten der Thiere und Menschen, nebst einem Fabelspiel, 1766.
Burmann, G. W.: Fabeln und Erzählungen, 1763; Fabeln und Erzählungen in drey Büchern, 1768; Fabeln und Erzählungen in vier Büchern, 1773.
Anonymus Erzählungen zum Scherz und Warnung entworfen von J. A. C., 1765.

Reinhard, Chr. A. R.: Meines Vaters Fabeln und Erzehlungen, In zwey Büchern zu meinem Gebrauche, 1768.
Schlegel, J. A.: Fabeln und Erzählungen. Zum Druck befördert von C. Chr. Gärtner, 1769. Neudruck 1965.
Schenk, Chr. E.: Fabeln und Fabuletten [. . .], 1770.
Bock, C. G.: Erstlinge meiner Muse, 1770.
Pernet, H. L. *de*: Versuch in Fabeln und Erzählungen, 1770; vgl. Ausgewählte Fabeln und Erzählungen, hrsg. u. biograph. eingel. v. Fr. M. Kometer, 1894.

Benzler, J. L.: Fabeln für Kinder, 1771, 2. Aufl. 1773.
J. C. G. (Anonymus): Funfzehn Fabeln, 1771.
Zachariae, J. F. W.: Fabeln und Erzehlungen. In Burchard Waldis Manier, 1771; dazu: Gassner, J.: Über Zachariaes Fabeln und Erzählungen in Burchard Waldis' Manier, Progr. Klagenfurt 1906.
Braun, H.: Versuch in prosaischen Fabeln und Erzählungen, 1772; rezensiert von Goethe, in: Frankfurter Gelehrte Anzeigen vom 1. Mai 1772 (Nr 35), abgedruckt in der W. A. Bd 37, S. 219–221.
Stute, J. W.: Erzehlungen und Fabeln, 2. Aufl. 1772.

Claudius, M.: Sämtliche Werke, 1958; einzelne Fabeln im Wandsbecker Boten ab 1772 und dann in den Sämtlichen Werken von 1812.

Kästner, A. G.: Vermische Schriften, 1755, 2. Bd 1772.

Herder, J. G.: Alte Fabeln mit neuer Anwendung, 1773; in: Herders Sämmtliche Werke, hrsg. v. B. Suphan, Bd 29, 1889, S. 379 bis 416.

Merck, J. H.: Briefe an J. H. M., hrsg. v. K. Wagner, 1835; Fabeln von Merck, mitgetheilt v. F. L. Mittler, in: Weimarisches Jb. III, S. 192–195; Fabeln und Erzählungen. Nach der Handschrift hrsg. von H. Bräuning-Oktavio, 1962.

Fuhrmann, L. O.: Versuch in Fabeln und Gedichten, 1773.

Anonymus: Versuch in Fabeln und Gedichten, 1773.

Kazner, J. F. O.: Neue Fabeln, 1775; Fabeln, Epigramme und Erzählungen, 1786.

Haunold, Z.: Einige Fabeln [. . .] 1775.

Schmidt, Kl. E. K.: Fabeln, Erzählungen und Idyllen, 1776.

Plato, Chr. K.: Fabeln und Erzählungen, 1776; Moralische Fabeln und Erzählungen für Kinder und junge Leute, 1785, ²1787.

Goez, Chr. G.: Belustigung für die Jugend in Fabeln und Erzählungen, 1778.

Anonymus: Fabeln und Erzählungen zum Gebrauch für Kinder, 1780.

Schmit, F.: Erzählungen, Fabeln und Romanzen, 1781.

Burchardi, Chr. A.: Versuche in Fabeln und andern Gedichten, 1781.

Bretschneider, H. G. *von*: Fabeln, Romanzen und Sinngedichte, 1781.

Wiegand, L. Chr. A.: Fabeln, nebst einigen untergemischten Sinngedichten, 1782.

Meissner, A. G.: Skizzen, 14 Theile, 1778–96; Fabeln nach Daniel Holzmann [. . .] 1783; Hundert äsopische Fabeln für die Jugend [. . .], 1791, 2. Aufl. 1793, 3. Aufl. 1824.

Meineke, J. H. F.: Drey Bücher Fabeln und Erzählungen für allerley Leser, 1779, 1785, 1819.

Schubart, Chr. Fr. D.: Sämmtliche Gedichte, Bd 1, 1785, Bd 2, 1786; Über die deutsche Fabel, in: C. F. S. des Patrioten gesammelte Schriften und Schicksale, Bd 6, 1839; Chr. Fr. D. Schubarts Gedichte, hrsg. v. G. Hauff (1884).

Anonymus [Schaz, G./Meineke, J. H. F. et al.]: Ein Päkchen neue prosaische Fabeln. Nach Lessings Manier, hrsg. von zwei redlichen Schweizern im Rheinthale, 1787.

Schaz, G.: Bluhmen auf den Altar der Grazien, 1787.

Schlez, J. F.: Fabeln und Sinngedichte, 1787; Parabeln, 1822, 1835.

Ramler, K. W.: Fabellese, Bd 1–3, 1783, Bd 4, 1797; dazu: *Pick*, A.: Über K. W. Ramlers Änderungen Hagedornscher Fabeln, in: Archiv f. d. Studium d. neueren Sprachen 73, 1885, S. 241–272.

Beumelburg, J. Chr.: Sammlung einiger Gelegenheitsgedichte [. . .] und Fabeln, 1790.

Castell-Remmlingen, S. A. Ch. v.: Fabeln und andere Gedichte einer Dame von Stande, hrsg. v. J. F. Schlez, 1792.

Nicolai, L. H. *von*: Vermischte Gedichte und prosaische Schriften, 1792–1810.

Bürger, G. A.: Nachlese von Bürgers Gedichten (1793 erstmals gedruckt).
Fischer, Chr. A.: Politische Fabeln, 1796.
Weppen, J. A.: Erzählungen, Sinngedichte und Episteln [...], 1. Theil 1796.
Pestalozzi, J. H.: Figuren zu meinem ABC-Buch [...] 1797; dazu: *Haller*, A.: Pestalozzis Fabeln, in: Die Ernte 22, 1941, S. 152–166.
Ebert, J. J.: Fabeln und Erzählungen für junge Leute beiderlei Geschlecht, 1798, 2. Aufl. 1805, 3. Aufl. 1810; vgl. auch: Biographien merkwürdiger Geschöpfe aus dem Thierreiche [...] 2 Bde, 1787–89.
Für verstreute Fabeln in Zeischriften der Aufklärung vgl.:
Koch, E. J.: Grundriß einer Geschichte der Sprache und Literatur der Deutschen von den ältesten Zeiten bis auf Lessings Tod, 2 Bde 1795. Bd 1, ²1795, S. 246–261.
Weitere Literatur und zeitgenössische Theorie in:
Zedler, J. H.: Grosses Vollständiges Universal-Lexikon, Bd 9, Sp. 4–11, Halle 1735 (Neudruck Graz 1961).
Sulzer, J. G.: Allg. Theorie der Schönen Künste [...], 2. Theil, ²1792, S. 161–200 (Neudruck 1957).

b) Sammlungen neueren Datums:

Fabeldichter, Satiriker und Popularphilosophen des 18. Jhs, hrsg. v. J. Minor. (DNL Bd 73).
Anakreontiker, und preußisch-patriotische Lyriker. 2 Teile in 1 Bd, hrsg. v. F. Muncker, [1895]. (DNL Bd 216).
Der Wolf und das Pferd. Deutsche Tierfabeln des 18. Jhs, hrsg. v. K. Emmerich, 1960.
Deutsche Fabeln des 18. Jhs, hrsg. v. M. Windfuhr, 1960. (Reclams Univ.-Bibl. Nr. 8429/30).

c) Abhandlungen:

Erb, Th.: Die Pointe in Epigramm, Fabel, Verserzählung und Lyrik von Barock und Aufklärung, 1928.
Kayser, W.: Die Grundlagen der dt. Fabeldichtung des 16. u. 18. Jhs, in: Archiv f. d. Studium d. neueren Sprachen 160, 1931, S. 19–33.
Witt, K.: Heinrich Harries. Ein schleswig-holsteinischer Fabeldichter der Aufklärungszeit, Neue Heimat 57, 1950, S. 90–92.
Noel, Th. L.: The rise and fall of a genre. Theories of the fable in the 18th century. Univ. of Illinois at Urbana-Champaign, 1971 (vgl. Diss. Abstracts International A, Ann Arbor, Mich., 32, 1971/72, 5800 A.).
Leibfried, E.: Phil. Lehrgedicht und Fabel, in: Neues Handbuch der Literaturwissenschaft, Bd 11 Europ. Aufklärung I, hrsg. v. W. Hinck, 1974, S. 75–90.
Herbrand, E.: Die Entwicklung der Fabel im 18. Jh. Versuch einer histormaterial. Analyse der Gattung im bürgerl. Emanzipationsprozeß. Diss. Gießen 1975.
Ketelsen, U.-K.: Vom Siege der natürlichen Vernunft. Einige Bemerkungen

zu einer sozialgeschichtlichen Interpretation der Geschichte der Fabel in der deutschen Aufklärung, in: Seminar 16, 1980, S. 208–223.
Weiteres bei den einzelnen Dichtern.

b) Das Verhältnis der Aufklärungsfabel zur Vorlage

Auch im 18. Jh. hält man sich weitgehend an die überlieferten Motive: manche Dichter, wie Hagedorn und Lessing, geben sogar ihre Quelle an. Fabeldichtung ist auch in der Aufklärung Übersetzung, Bearbeitung und Veränderung des lehrhaften Gehaltes, also Variationskunst.

Bei der Aneignung des Überlieferten lassen sich zwei Formen unterscheiden: es gibt die strenge Übersetzung oder Bearbeitung eines Motivs. Die alte Vorlage wird weitgehend in Aufbau und Stil beibehalten; die Lehre kann sich dabei verschieben. Die andere Form ist stark vom Stil der Zeit bestimmt; das rokokohafte Element setzt sich durch (für beide Typen vgl. die zwei Gestaltungen der Fabel vom Huhn und dem Diamanten bei Hagedorn).

Bei der Aneignung traditioneller Motive hat die gesamte Fabelliteratur des 18. Jhs wenig auf deutsche Vorbilder zurückgegriffen: vereinzelt findet man den Brauch des Tierepos übernommen, Tiere mit Namen zu belegen; Lokalisationen einzelner Fabeln finden sich kaum – Alberus war also weitgehend unbekannt, zumindest fand er keine Nachahmung. Dafür ist das Vorbild *La Fontaines* um so wichtiger geworden: sein Einfluß läßt sich bei einer großen Zahl von Dichtern nachweisen. Von ihm haben die deutschen Fabelbearbeiter die leichte, weitschweifige Erzählung übernommen; die Ausgestaltung des Details, die Charakterisierung durch schmückende Adjektive und erläuternde Appositionen ist auf ihn zurückzuführen.

Erst *Lessing* hat sich intensiv mit der La Fontaineschen Manier auseinandergesetzt und scharf gegen sie Stellung genommen: er verurteilt jede unnötige Abschweifung, jede epische Ausgestaltung; die Fabel muß bei ihm epigrammatisch kurz sein. Gegen La Fontaine, seine Schule und seine Anhänger in Deutschland richtet sich das fabelartige Exempel »Der Besitzer des Bogens« (s. Petersen/Olshausen, Bd 1, S. 159): Wenn der Bogen zu sehr geschmückt ist durch Schnitzarbeiten, zerbricht er beim Spannen; die Fabel verliert, wenn sie in epischer Breite dahinfließt, ihr Ziel aus dem Auge.

Eine bedeutende Neuerung im Hinblick auf die Vorlage zeigt sich in den Fabeln *Lessings*: er erzählt nicht das alte Motiv nach, er transponiert auch nicht in den Geschmack seiner Zeit – beides findet sich bei Hagedorn –, er verändert die Motive, er gestaltet die traditionellen Situationen um. Bei diesem Vorgang der Aneignung des traditionellen Fabelgutes durch Lessing lassen sich zwei Techniken erkennen: Lessing baut eine neue Fabel durch Kontamination von zwei bekannten Motiven. In der Fabel »Der Wolf und das Schaf« (ebda, S. 172) ist die Fabel vom Lamm, das am Fluß Wasser trinkt und vom Wolf gefressen wird, vermischt mit der Fabel vom Fuchs, der die Trauben nicht erreicht.

Ein zweiter Typ entsteht durch die Änderung der Requisiten: in der Fabel vom Raben und dem Fuchs ist bei Lessing das Fleisch (bei La Fontaine der Käse) vergiftet; der Fuchs stirbt an seiner Beute (ebda, S. 153f.). In der alten Fabel triumphiert der Listige, hier der Dumme. Es zeigt sich, daß durch diese Requisitenveränderung auch das strenge Gefüge der alten Motive verschoben wird: der Schlaue ist in der Welt doch nicht immer der Glücklichere, einfach weil auch er nicht alle Faktoren voraussieht. Durch diesen Vorgang wird die Fabel intellektueller, sie erhält einen zweiten, reflektierend zu erschließenden Überbau: die alte Fabel gab Anlaß zu dem Gedanken, dem Schlauen gehe es in der Welt am besten. Bei Lessing kommt eine Einschränkung hinzu, die nun zusätzlich gedacht werden muß: nicht unbedingt, denn angesichts der vielfältigen Möglichkeiten ist der Schlaue oft genausowenig in der Lage, alles einzukalkulieren, wie der Dumme.

Neben dieser Tendenz der Veränderung eines Motivs, die besonders bei Lessing auftritt, läßt sich ein Streben nach Erfindung neuer Motive, neuer Fabelsituationen beobachten. Ludwig *Meyer von Knonau* z.B. (und mit ihm viele andere) kündigt seine Fabeln schon als neue an. Er bezeichnet durch den Titel, daß es sich um eigene Schöpfungen handelt. Dabei entstehen die neuen Situationen nicht unbedingt durch Naturbeobachtung. Vielmehr erscheinen die Tiere weitgehend als Menschen; es findet keine Auflösung des Intendierten ins Bildliche statt; das Tier ist nur Requisit, nicht notwendiger Bestandteil.

Die Änderung der alten Motive kann, wie es hier geschehen ist, immanent erklärt werden: die Variation von ›ungiftig‹ zu ›giftig‹ (beim Beispiel von ›Rabe und Fuchs‹) ist als ästhetische Innovation deutbar. Damit ist jedoch nur ein Moment, eine Abschattung des Ganzen in bestimmter Weise erfaßt. Es fehlt z.B. die ideologiekritische Analyse in geschichtsphilosophischer Absicht ebendieses Phänomens. Sie müßte etwa diese Momente beachten: in der traditionellen Fassung der Fabel vom Raben und Fuchs gewinnt der letztere als besserer (als Herr) vom Dümmeren (Knecht) den Käse. Die Fabel ist Modell des üblichen Ergebnisses des Kampfes um die Selbsterhaltung: es siegt der Bessere, Stärkere, Klügere. Sie reproduziert die geltende Moral im Feudalismus.

Bei Lessing hat sich das geändert. Ganz ähnlich wie in der Fabel vom Wolf und Lamm erscheint der sonst Unterlegene als der – durch Zufall: der Rabe frißt das vergiftete Fleisch nicht – Glücklichere. Der Stärkere, Kräftigere triumphiert nicht mehr; der bislang Ausgebeutete ist nunmehr der Sieger im Kampf um die Anerkennung. Lessing nimmt damit die Änderung in der Gesellschaft – die politische und ökonomische Führung geht allmählich vom Adel auf die Bürger über – vorweg. Der gesellschaftliche Gesamtprozeß, in dem die alte Fabel stand und in dem Lessing steht, ist strukturell identisch mit einem seiner Teile: den jeweiligen Fabelbearbeitungen. Lessing selbst muß diese mögliche Auslegung nicht bewußt intendiert haben – sie kann also der Autorintention widersprechen. Lessing selbst kann sich ausschließlich, wie es der letzte Satz nahelegt: ›Möchtet ihr euch nie etwas anderes als Gift erloben, verdammte Schmeichler!‹, auf eine allgemein menschliche Verhaltensweise (die freilich selbst in bestimmter Weise jeweils gesellschaftlich vermittelt ist) bezogen haben. Trotzdem hat der Text als objektives Gebilde nichts gegen die angeführte Interpretation. Sie ist, unter historischer Relevanz, richtig und widerspricht der ästhetischen nicht.

Literatur:

La Fontaine, Jean de: Sämtliche Fabeln, französisch-deutsch, 1978 (Nachwort und Anmerkungen von H. *Lindner*).
Stein, F.: La Fontaines Einfluß auf die deutschen Fabeldichter des 18. Jhs, 1889. (Jahresbericht des Kaiser-Karl-Gymnasiums zu Aachen).
Noelle, A.: Beiträge zum Studium der Fabel mit besonderer Berücksichtigung Jean de La Fontaines [. . .] 1893. (Wissenschaftl. Beilage zum Bericht über das Schuljahr 1892/93 der Staatl. Real-Schule zu Cuxhaven).
Cordemann, M.: Der Umschwung der Kunst zwischen der 1. u. 2. Fabelsammlung La Fontaines, Diss. München 1917.
Vossler, K.: La Fontaine und sein Fabelwerk, 1919.
Stierle, K.: Poesie des Unpoetischen. Über La Fontaines Umgang mit der Fabel, in: Poetica I, 1967, S. 508–533.
Meyer, G.-R.: Die Funktion der mythologischen Namen und Anspielungen in La Fontaines Fabeln, 1969.
Hudde, H.: La Mottes und Imberts lit. Repliken auf die Fabel von den Gliedern und dem Magen, in: Romanist. Jahrbuch 25, 1974, S. 94–122.
Grimm, J.: La Fontaines Fabeln, 1976.

c) Tendenz und Stil in der Aufklärungsfabel

Die Fabel des 18. Jhs hat nicht nur weitgehend die alten Motive übernommen; mit ihnen sind auch die alten Themen der Lehre eingeflossen: die Fabel zeigt den Lauf der Welt und vermittelt Lebensklugheit. Moralische Belehrung wie bei Boner, Steinhöwel, Pauli ist seltener geworden. Wichtiger ist der Gegensatz klug/ dumm, richtig/falsch. Man erteilt Ratschläge für eine erfolgreiche Lebensführung; um das ethische, besonders auch um das religiöse Verhalten der Leser kümmert man sich weniger. Die Fabel spiegelt hier, ideologieanalytisch gesehen, den allgemeinen Säkularisierungsprozeß: religiöse Thematik wird mehr und mehr von weltlicher abgelöst. Dem entstehenden Liberalismus sind religiöse Gebote unwesentlich, für ihn gelten die Regeln, die den Erfolg im Leben garantieren. Erst gegen Ende der Epoche, als die Fabeln hauptsächlich für Kinder gedichtet werden, dringt dieses Element wieder stärker in den Vordergrund. Bei der Belehrung bedient man sich der alten Technik: Schilderung der Zustände in der Welt; aus dieser Schilderung wird die Lehre gezogen. Der Hörer wird durch die Kraft des Beispiels überzeugt.

Als eigene Leistung tritt im 18. Jh. die Kritik an den sozialen und politischen Zuständen der Zeit auf. Es verbreitet sich eine Tendenz, die über Herder und Pfeffel bis zu einem rein politischen Fabeldichter wie Fischer geht. Bei ihm ist jede Fabel gesellschaftskritisch ausgerichtet und immer werden Übelstände der gegenwärtigen Gesellschaftsordnung aufgegriffen. Den politisch-sozialen Bereich und die Tendenz, die ihm in der Fabelliteratur entspricht, hat vor allem die marxistische Literaturwissenschaft herausgestellt. Der DDR-Wissenschaftler Karl *Emmerich* hat in zwei Publikationen eine materialistische Interpretation vorgelegt: am Beginn der Fabelliteratur dieses Zeitraums stehen für ihn die – im Hinblick auf eine politische Tendenz neutralen – Übersetzungen von Francken und Riederer; auch Johann Georg Bock ist politisch noch weitgehend desinteressiert. Er vertritt jedoch schon »das Tugendideal und das neue Menschenbild des Bürgers« (vgl. Emmerichs Fabelausgabe »Der Wolf und das Pferd«, S. 5). Die Entwicklung der Fabelliteratur verläuft nach Emmerich in drei Phasen: »Während die Fabel in der frühen Aufklärung vorwiegend moralische Lehren und neue sittliche Prinzipien vermittelt, erweitert sich ihre Tendenz nach der Jahrhundertmitte zur sozialen Kritik und zur Anklage des Duodezabsolutismus und wird in den Zeiten zugespitzter Klassenkämpfe zur direkten politischen Kritik an den Handlungen feudalabsolutistischer Herrscher und ihres Machtapparates« (ebda, S. 7). Die Belege für seine Ansicht weisen zum Teil in die angedeutete sozial-kritische Richtung: die Entwicklung des Tanzbärmotivs zeigt eine Politisierung des abstrakten Teiles. Diese Fabel untersucht Emmerich bei Gellert, Bock, Lessing, Burmann,

Kazner und Pfeffel; bei dem letzteren ist das Motiv tatsächlich auf die absolutistischen Herrscher bezogen: der freie Tanzbär erwürgt seinen ehemaligen Herrn. Die sozialrevolutionäre Tendenz ist hier deutlich; die Fabel ist nicht mehr Fürstenspiegel, Belehrung des Herrschers oder Bittgesuch an die Mächtigen. Sie ist offene Drohung gegen die Fürsten. Man wird Emmerich zugestehen, daß er eine Entwicklungslinie aufzeigt. Gerade gegen Ende der Epoche werden aber die politischen Fabeln an Zahl weit übertroffen von Fabeln, die für Kinder bestimmt sind und die sich jeder revolutionären Tendenz enthalten, im Gegenteil gerade zum Gehorsam, zur Affirmation erziehen.

Wichtig ist die formale Erscheinung, die Emmerich dieser Politisierung der Fabel nebenordnet: die soziale Typisierung der handelnden Tiere muß notwendig, wenn ein bestimmtes System angegriffen werden soll, kraß heraustreten: der Löwe ist der Herrscher, das Schaf und der Bär sind die Unterdrückten. Die Tierfabel – aber nur die politische – nähert sich durch diese scharfe Typisierung der Allegorie. Das Tier lebt nicht mehr in seiner Umwelt. Die natürliche Bildlichkeit der Fabel ist dadurch gestört, mit ihr auch die Fähigkeit mehr und anderes zu sagen, als mit der abstrahierten Lehre gemeint ist. Durch die starke Zeitbezogenheit tritt neben die symbolische Form der Fabel, wie sie bei allen Fabeldichtern, die nicht in das Tagesgeschehen eingreifen, sondern allgemeine »Wahrheiten« vermitteln, vorliegt, eine allegorische. In ihr wird eine ganz bestimmte, in der Zeit der Entstehung vorhandene, Erscheinung aufgegriffen (und meistens kritisiert).

Der Unterschied zwischen aesopischer und allegorischer Form berührt die grundlegenden Stilzüge der Fabel. Innerhalb dieser Grundrichtung lassen sich verschiedene Erscheinungsweisen beobachten: es gibt Prosa- und Versfabeln, die in ihrer Wirkung mit der kurzen epigrammartigen bzw. der breit erzählenden Fabel zusammenfallen. Beide entsprechen dem Geist des Zeitalters. In der kurzen Fabel dominiert der Verstand, die Lehre wird oft nicht ausgesprochen, sie ergibt sich aus der knapp vorgetragenen Erzählung. Die epische Fabel dagegen breitet ein anschauliches Bild ihrer Zeit aus. Deutlich wird dieser Unterschied, wenn man die Fabeln Lessings mit denen Gellerts vergleicht: Lessing tendiert zur epigrammatischen Kürze, zum Aphorismus – Gellert zur unverbindlichen, anschaulichen Erzählung.

Was den Stil der Fabeln angeht, so ändert er sich je nach der lehrhaften Tendenz: bei Gellert, der volkstümlich belehren und Lebensklugheit vermitteln will, ist der Ton unterhaltend. Bei den zeitkritischen Fabeln Pfeffels oder bei den politischen Fischers ist der Ton scharf und satirisch.

Literatur:

Emmerich, K.: Gottlieb Konrad Pfeffel als Fabeldichter, in: WB 3, 1957, S. 1–46.
Ders.: Vorwort zu: Der Wolf und das Pferd. Deutsche Tierfabeln des 18. Jhs, 1960, S. 5–24.

d) Friedrich von Hagedorn

1738 erscheint Friedrich *von Hagedorns* (1708 bis 1754) »Versuch in poetischen Fabeln und Erzählungen«. Die Erzählungen überwiegen, die vergleichsweise wenigen Fabeln sind epigrammatisch und episch. Bei den letzteren zeigt sich der Einfluß La Fontaines auf die Kunstfertigkeit Hagedorns: ihm gelingt oft eine virtuose Ausgestaltung des Details. In der ersten Strophe von »Der Wolf und das Pferd« wird jedes sinntragende Substantiv durch ein Attribut erläutert: ein matter Wolf; der fetten Anger feuchtes Grün; ein wohlbefleischtes Füllen (vgl. DNL Bd 45, S. 43). Hagedorn wählt die Akzente, die er setzt, sehr überlegt aus. Der Wolf preist nach dieser Anrede seine eigenen Vorzüge; er schildert sie in bunten Farben. Stilmittel ist die Steigerung durch Reihung von Elementen gleicher Funktion. Höhepunkt der Betörungsrede ist die Versicherung, daß er nur wegen des Pferdes erschienen sei und daß er es kostenlos heilen wolle. Die Feinheit der Ausgestaltung, die Ziselierung des Details zeigt sich dabei in der gegenseitigen Anrede: der Wolf redet das Pferd mit dem eleganten und höflichen »Sie« an, das Pferd antwortet mit »Ihr«: so spricht der Ungebildete dem Höheren gegenüber. Allein durch solche Kleinigkeiten gelingt Hagedorn eine Typisierung: der Wolf wird zum redebeflissenen Quacksalber, zum weltgewandten Verdummer der Einfältigen.

Die Lehre wird in dieser Fabel vom Pferd selbst formuliert und dadurch in die Handlung eingegliedert. Die formale Zweiteilung der traditionellen Fabel in Erzählung und Lehre hat Hagedorn in seinen besten Fabeln vermieden. Erzählung und Belehrung bilden dadurch, daß ein handelndes Tier die Konklusion zieht, eine geschlossene Einheit. Bei diesem Vorgang der Formulierung der Lehre durch ein Tier bleibt Hagedorn im Bereich des Wahrscheinlichen: es gibt bei ihm keinen philosophierenden Esel. Er hält sich weitgehend an die natürlichen Lebensformen und -bedingungen der einzelnen Tiere. Seine Virtuosität zeigt sich in der »formalen Buntheit«, die Robert *Petsch* ihm zuspricht. Bei Hagedorn wechseln »kürzere und längere Strophen, tändelnd-anakreontische und freiere madrigalische Gebilde« miteinander ab (S. 173). Auch die Tatsache, daß er die Lehre einer Fabel oft nicht ausspricht, weist in die Richtung des virtuosen Spiels: hier mit Gedanken; der Leser wird zum Nachdenken gezwungen. Die Lösung bereitet ihm durch die Überwindung eines Widerstandes Freude. Daß Hagedorn aber auch die Tradition kennt und in ihrer Art dichtet, zeigt das Faktum, daß er sprichwörtliche Redewendungen – durch das Schriftbild abgesetzt – anhängt.

Literatur:

Hagedorn, Fr. *von:* Versuch in poetischen Fabeln und Erzählungen, 1738, Neudruck 1974; Gedichte, hrsg. v. A. Anger (Reclam).

Goedeke IV, I; § 204, S. 25 ff.

Eigenbrod, W.: Hagedorn und die Erzählung in Reimversen, 1884, rezensiert von B. Seuffert, in: AfdA 12, 1856, S. 68–97.

Pick, A.: Über K. W. Ramlers Änderungen Hagedornscher Fabeln, in: Archiv f. d. Studium d. neueren Sprachen 73, 1885, S. 241–272.

Gassner, J.: Der Einfluß des Burkhard Waldis auf die Fabeldichtung Hagedorns, Progr. Klagenfurt 1905.

Briner, E.: Die Verskunst der Fabeln und Erzählungen Hagedorns, Diss. Zürich 1920.

Epting, K.: Der Stil in den lyrischen und didaktischen Gedichten von Friedrich von Hagedorn, Diss. Tübingen 1929. (Tübinger germanist. Arbeiten IX, 1929).

Petsch, R.: Friedrich von Hagedorn und die deutsche Fabel, in: Festschrift f. Melle, 1933, S. 160–188.

e) Christian Fürchtegott Gellert

Christian Fürchtegott *Gellert* (1715–1759) hat dem ersten Teil seiner Fabelsammlung von 1746 eine umfangreiche Einleitung vorangestellt. Er beschäftigt sich jedoch nicht wie Steinhöwel, Luther und Lessing mit theoretischen Fragen; er bringt Beispiele alter Fabeln und bespricht sie. Er verzichtet auf allgemeine theoretisierende Betrachtungen zugunsten historisch-individueller.

Boner, von dem 51 Fabeln durch den Straßburger Johann Georg Scherz 1704 ff. ediert worden waren, wird von Gellert besonders gelobt: er teilt drei seiner Fabeln mit und beurteilt sie, indem er sie mit den Bearbeitungen des gleichen Motivs bei neueren Dichtern vergleicht. Sowohl die lateinischen Fassungen als auch Melander und Riederer, die 1712 bzw. 1717 mit deutschen Bearbeitungen hervorgetreten waren, schneiden dabei schlecht ab. Gellert kennt Luther und Waldis; er weist auf die »scherzhaften Heldengedichte« wie ›Reinecke Fuchs‹ und Georg Rollenhagens ›Froschmäuseler‹ hin. Chytraeus, Harsdörffer und Rabener sind ihm bekannt. Dadurch daß er von allen Proben mitteilt, bildet seine Einleitung eine Fabelanthologie. Ihre Bedeutung liegt in der historischen Sicht, in dem Hinweis auf andere Zeiten. Gellert überwindet hier die engen Grenzen seiner Zeit. Daß er allerdings mit den Maßstäben der Epoche mißt, darf nicht verwundern: Boners Fabeln sind gelungen, weil sie an La Fontaine anklingen. Gellert legt die Kriterien, die er an den Franzosen abgeleitet hat, an die alten Fabelbearbeitungen an – ähnlich wie Lessing jede Fabel von seinem Schema her beurteilt, das er an der knappen Prosafabel der Spätantike entwickelt hat.

Gellert beurteilt sich auch selbst; einige Fabeln, die er in den ›Belustigungen‹ veröffentlicht hatte, scheinen ihm nicht vorbildlich. An den Einwänden gegen sich selbst läßt sich gut seine Vorstellung von der Fabel ableiten: die Handlung muß »anziehend, unerwartet und doch wahrscheinlich« sein (Neudrucke Bd. 18, S. 154). Sie muß in jeder Einzelheit der Moral entsprechen, d.h. die handelnden Figuren müssen durch Menschen zu ersetzen sein: »Ich setze nunmehr einen [. . .] Menschen an die Stelle der Lerche« (S. 154). Das Wichtigste aber betrifft den Stil. Gellert meint, daß in seinen frühen Fabeln »das Leichte, Freywillige und Muntre« fehle (S. 155). In diesen Zügen zeigt sich auch das Wesentliche der Gellertschen Fabeln; man merkt, daß er auf die Darstellung der Handlung und die Ausdeutung Wert gelegt hat. Eine speziellere Gattungsvorstellung findet sich bei ihm nicht: die Fabel erzählt eine Geschichte, die belehrend ausgedeutet wird.

In seinen drei Büchern »Fabeln und Erzählungen« sind auch nur 30 von 142 Motiven Fabeln im strengeren Sinn; über hundert Motive sind nur als Lehrgedichte (oder mit Gellert selbst als ›Erzählungen‹) zu bezeichnen: sie bringen Geschichten, Beispiele aus dem täglichen Leben. Nur darin, daß sie eine Tendenz haben, stimmen sie mit der Fabel überein. Wäre diese Tendenz nicht vorhanden, dann fehlte jede Verbindung mit der Fabel. Die Absichten Gellerts benötigten nicht die alten Fabelmotive, denn er sieht als einziges Ziel seiner Erzählungen an:

> »Dem, der nicht viel Verstand besitzt,
> Die Wahrheit, durch ein Bild, zu sagen.«

(Bd. 17, S. 53)

Die Fabel ist eindeutig Lehrdichtung. Gellert beginnt daher auch oft mit einer belehrenden Vorbemerkung; die nachfolgende Erzählung wird als Beweis für das Behauptete angesehen.

Das, was Gellert zeigen will, sind die Probleme des täglichen Lebens und ihre Lösungen. Er gestaltet auch das alte Thema der Fabel, das Luther so vollkommen geformt hatte: Darstellung der Welt wie sie ist, Beschreibung ihrer Verhältnisse. Er gibt dann nicht ausdrücklich Ratschläge, sondern stellt nur fest.

Würde Gellert nur in der beschriebenen Weise dichten, dann unterschiede er sich nicht von seinen Zeitgenossen: das Typische für ihn ist, daß er am deutlichsten seine Zeit in der Fabel dargestellt hat; er entspricht auch am ehesten den Erwartungen seiner Mitbürger. Einmal in der Tendenz: er ist nie diktatorisch, er fordert nichts. Seine Lehren bringt er als Ratschlag, seine Kritik als beschreibende Darstellung. Der Ton seiner Erzählung ist unverbindlich, galant; seine Lehre ist keine pedantische Belehrung. Stilistisch an La Motte geschult, schreibt er ganz in der Art seiner Zeit, aber ohne einen gekünstelten Hofton anzunehmen: er ist der Volkstümliche unter den Fabeldichtern des Jahrhunderts.

Literatur:

Goedeke, IV, 1; § 207, S. 74 ff.
Gellert, Chr. F.: Fabeln und Erzählungen. / Schriften zur Theorie u. Geschichte der Fabel. Histor.-krit. Ausgabe, bearb. v. Siegfried Scheibe, 1966 (Neudrucke dt. Literaturwerke, NF 17 u. 18); Ausgabe von H. Klinkhardt, 1965 (Fundgrube 13).
Handwerk, H.: Studien über Gellerts Fabelstil, Diss. Marburg 1891.
Ellinger, G.: Über Gellerts Fabeln und Erzählungen, 1895.
Nedden, R.: Quellenstudien zu Gellerts Fabeln und Erzählungen, Diss. Leipzig 1899.
Gassner, J.: Über die Einflüsse des Burkhard Waldis auf die Fabeldichtung Gellerts, Progr. Klagenfurt 1909.
May, K.: Das Weltbild in Gellerts Dichtung, 1928. (Dt. Forschungen XXI).
Helber, Fr.: Der Stil Gellerts in den Fabeln und Gedichten, Diss. Tübingen 1937.
Schlingmann, C.: Gellert. Eine literarhistorische Revision, 1967, bes. S. 91 ff. (Frankfurter Beiträge zur Germanistik 3).

f) Gotthold Ephraim Lessing

Ab 1747 veröffentlich Gotthold Ephraim *Lessing* (1729 bis 1781) in Zeitschriften gereimte Fabeln zusammmen mit Verserzählungen. Später setzt er sich intensiv mit den französischen Fabeldichtern La Motte, La Fontaine u. a., mit Bodmer und Breitinger und mit Gottsched auseinander. Er entwickelt eine eigene Theorie der Fabel, an die er sich auch weitgehend hält. Seine »Fabeln. Drey Bücher. Nebst Abhandlungen mit dieser Dichtungsart verwandten Inhalts« von 1759 sind als Einheit von Theorie und Praxis gedacht. Die Fabeln sollen die theoretischen Erkenntnisse bestätigen.

In den wenigen Versfabeln Lessings sind die Erzählungen durchaus breit ausgebaut, durch Dialogisierung aufgelockert. Die Ausführlichkeit anderer Dichter erreicht Lessing aber nicht. Wenn Gellert schreibt: »Ein Bär, der lange Zeit sein Brod ertanzen müssen« (S. 73), die Tätigkeit des Bären also durch einen Nebensatz umschreibt, so heißt es bei Lessing nur »Ein Tanzbär war der Kett' entrissen« (Petersen/Olshausen, Bd. I, S. 112). In einer Verszeile bringt Lessing das Charakteristische des Bären und seine Flucht unter; Gellert benötigt die erste Zeile, um die Tätigkeit des Bären zu umschreiben. Daß die Gellertsche Fabel einprägsamer, wärmer erscheint, kommt durch die stärkere Anthropomorphisierung. Der Bär mußte »lange Zeit sein Brod ertanzen«; der Hörer zieht sich hier unwillkürlich die Parallele zu sich selbst und wird durch das schwere Leben des Bären gepackt, »gerührt«. Bei Lessing erscheint der Bär als Fall, der nicht mit dem Leben des Hörers verbunden ist. An ihm wird etwas demonstriert. Gellert spricht die emotionale Sphäre an, Lessing wendet sich weniger an das Gefühl als an den Verstand. Dadurch geschieht es, daß selbst in den Versfabeln »Dichtungen entstehen, die zwar von außerordentlicher Geschlossenheit und Einheitlichkeit waren, weil jedes Wort von dem einen Zweck, der einen Lehre bestimmt war, die aber bei aller Scharfsichtigkeit blutlos blieben« (Kayser, S. 33). Weniger scharf als *Kayser* formuliert *Petsch* den Sachverhalt, wenn er darauf hinweist, daß die Fabeln Lessings »kalt lassen«, weil sie den intelligiblen Faktor betonen. Er erkennt aber, daß Lessings Fabeln dadurch andere Eigenschaften gewinnen, nämlich eine »wunderbare Schärfe des Ausdrucks« und eine »Zuspitzung der Pointen« (S. 161). Denn hierauf kam es Lessing an: seine Fabeln sollten kurz sein, alles Unnötige vermeiden, damit die Absicht während der Erzählung nicht vergessen werde. Der Leser oder Hörer sollte den demonstrierten Fall überblicken können, jede Einzelheit der Geschichte sollte auf die Lehre hinweisen, jede Abschweifung unterbleiben. Damit entfiel nicht nur jedes blinde Motiv, sondern auch jede epische Ausgestaltung. »Die Kürze ist die Seele der Fabel« entschied Lessing.

Lessing benutzt weitgehend die traditionellen Motive. Er gibt immer seine antike Quelle an, falls eine vorhanden ist und er nicht eine neue Situation erfindet. Er übernimmt die alten Motive jedoch nicht unverändert, sondern wandelt sie, worauf oben schon hingewiesen wurde (vgl. S. 77f.), in bedeutsamer Weise ab. Gefordert hat er diese Methode in seiner letzten Abhandlung »von einem besondern Nutzen der Fabeln in den Schulen«. Früher studierte man an den Fabeltexten die Anfangsgründe der lateinischen Sprache. Man lernte auch Stilistik, indem man die Fabel in verschiedene Redeweisen umformte. Lessing will die gleichen Texte als Denkschule benutzen; die Handlung soll so umgestaltet werden, daß neue Wirkungen entstehen. Auf die Intellektualisierung der Fabel als Folge dieser Technik wurde schon hingewiesen (vgl. S. 78). Innerhalb der Entwicklung der Fabelliteratur weist diese Erscheinung wohl auf eine Abnutzung der alten Motive hin.

Durch Lessings Veränderungen der alten Motive geschieht etwas, das sich mit dem Satz umschreiben läßt: die Handlung der Fabel tritt zurück, dafür ist nur noch Situation vorhanden, also Darstellung eines Sachverhaltes, eines Konfliktes. Veranschaulichen läßt sich diese Erscheinung an den zwei Lessingschen Bearbeitungen der Phaedrusfabel vom Löwen, der den Esel als Jagdhelfer mißbraucht. Bei Phaedrus wird die Geschichte zu Ende erzählt: der Löwe hat den Esel zu seinem Gesellen gemacht, damit er ihm auf der Jagd durch sein Geschrei die Tiere anlocke. Das Geschrei des Esels und seine Wirkung, also der ganze Verlauf der Jagd wird dargestellt. Bei Lessing wird nach der Exposition – der Bemerkung, daß Löwe und Esel gemeinsam jagen wollen – abgebrochen. Die Erzählung wird nicht beendet, dafür aber ein neues Motiv eingeführt: eine Krähe fragt den Löwen, wie er sich eines Esels bei der Jagd bedienen könne? Die Haupthandlung wird bei Lessing nicht berichtet, dafür wird eine Situation dargestellt: der Löwe, in Gesellschaft eines Esels, wird von einer Krähe angeredet. Ebenso verhält es sich mit der zweiten Variation der Phaedrusschen Fabel durch Lessing: ein zweiter Esel redet den den Löwen begleitenden Esel an. Der Angesprochene fühlt sich beleidigt, von einem Esel angeredet zu werden, da er doch in Gesellschaft eines Löwen sei. Auch hier wird keine Handlung erzählt, sondern nur die Situation in einer Wechselrede erläutert. Durch dieses Phänomen – Auflösung der Handlung, Verdrängung der Erzählung und Ersatz durch eine Situation – wird die Fabel nicht farbiger: sie wirkt nüchtern, die Darlegung der Lehre überwiegt. Die Erfindung neuer Geschichten unterbleibt; die alte Fabel wird abgewandelt, aber nicht so, daß diese neue Bearbeitung die Phantasie ansprä che. Die neue Form wendet sich an den Verstand, fehlt doch jede schmückende epische Ausgestaltung. Denn dadurch, daß eine Handlung begonnen, aber nicht ausgestaltet und beendet wird, erscheint die Fabel offen, nicht geschlossen. Der Leser, zumindest der naive, dem es nicht in erster Linie auf die Lehre ankommt, erwartet einen Bericht über den Verlauf und das Ende der Jagd. Ihn interessiert, ob der Löwe etwas fängt oder ob er Mißerfolg hat, und ihn interessiert das Schicksal des Esels. Lessing verzichtet jedoch auf die Mitteilung der Handlung. Sein Ziel hat er auch ohne sie erreicht. Die abstrakte Lehre ist für ihn wichtig. Deshalb ist er der intellektualistische Fabeldichter des 18. Jhs.

Literatur:

Lessing, G. E.: Fabeln. Drey Bücher. Nebst Abhandlungen mit dieser Dichtungsart verwandten Inhalts. 1759.

Abdrucke der Fabeln in fast allen Ausgaben, bei Lachmann/Muncker Bd. 1, 1886, S. 157–234, bei Petersen/Olshausen Bd. 1, 1926, S. 139–172, Rölleke 1970 (Reclam).

Goedeke, IV, 1; § 221, Nr 86, S. 379–385 (erfaßt die Sekundärliteratur bis 1908).

Zu dem Streit über die Fabel mit Bodmer vgl.: *Bodmer*, J. J.: Lessingische unäsopische Fabeln, 1760.

Grebel, A.: Darstellung und Kritik von Lessings Fabeltheorie, Diss. Jena 1876.

Prosch, Fr.: Lessings Abhandlungen über die Fabel, 1890 (mit dem Text der Abhandlungen).

Edler, O.: Darstellung und Kritik der Ansicht Lessings über das Wesen der Fabel, 1890.

Fischer, A.: Kritische Darstellung der Lessingschen Lehre von der Fabel, Diss. Halle 1891; auch unter: Lessings Fabelabhandlungen. Kritische Darstellung, 1892.

Dieterle, J.: Die beiden Perioden von Lessings Fabeldichtung, Progr. Leipzig 1912.

Tschirch, Fr.: Geschmiedetes Gitterwerk. Eine Lehrfabel als künstlerische Gestalt, in: Muttersprache 1950, S. 138–144 (»Die Eule und der Schatzgräber«).

Sternberger, D.: Über eine Fabel von Lessing, in: Figuren der Fabel, 1950, S. 70–92 (»Der Löwe und der Esel«).

Gottwald, H.: Lessings Fabel als Kunstwerk, Diss. Masch. Bonn 1950.

Markschies, H. L.: Lessing und die äsopische Fabel, in: Wissenschaftl. Ztschr. der Karl-Marx-Universität Leipzig, Gesellschafts- u. Sprachwissenschaftliche Reihe IV, 1954, S. 129–142.

Ott, K. A.: Lessing und La Fontaine, in: GRM 9, 1959, S. 235–265.

Thalheim, H.-G.: Zu Lessings Fabeln, in: Zur Literatur der Goethezeit, 1969, S. 9–37.

Bauer, G.: Materialismus und Ideologiekritik in der dt. Aufklärung (anhand von Lessings Fabeln), in: Mattenklott/Scherpe: Literatur der bürgerl. Emanzipation im 18. Jh. Ansätze materialist. Lit. wiss. (Literatur im histor. Prozeß 1). 1973, S. 1–42.

Ders.: Der Bürger als Schaf und als Scherer. Sozialkritik, politisches Bewußtsein und ökonomische Lage in Lessings Fabeln, in: Euphorion 67, 1973, S. 24–51.

Guthke, K. S.: G. E. Lessing, ³1979, S. 32 ff. (Slg. Metzler 65).

Eichner, S.: Die Prosafabel Lessings in seiner Theorie und Dichtung. Ein Beitrag z. Ästhetik des 18. Jhs., 1974.

Spitz, H.-J.: Lessings Fabeln in Prolog- und Epilogfunktion, in: Sagen mit Sinne. Fs. für M.-L. Dittrich, 1976, S. 291 ff.

g) Revolutionäre Tendenzen bei Pfeffel und Fischer

Das Bild der bedeutenden Dichter und Richtungen wäre unvollständig, ginge man nicht auf Pfeffel und Fischer ein. Beide vereint bei allem stilistischen Gegensatz die scharfe sozialkritische Wendung. Sie vertreten die politisch-revolutionäre Fabel.

Gottlieb Konrad *Pfeffel* (1736–1809) veröffentlicht seine Fabeln ab 1754; seine Hauptwirkung erreicht er aber erst um die Zeit der französischen Revolution, für die er eine große Sympathie entwikkelt. Schiller schätzt ihn sehr und publiziert von ihm fünf Fabeln in der Zeitschrift ›Die Horen‹. Durch den Gebrauch des Verses besitzt er eine große Freiheit der Darstellung. Er kann manches, was sich in Prosa zu hart ausnähme, noch formulieren. Oft benötigt er diese Möglichkeit nicht, denn nicht immer sind seine Fabeln voller satirischer Schärfe. Er beschreibt dann ähnlich wie Gellert öffentliche Mißstände, ohne die für ihn sonst typische radikale Haltung anzunehmen. Die gemäßigte Haltung, die sich in der Beschreibung eines Zustandes zeigt, ist bei Pfeffel noch selten. Im Großteil seiner Fabeln nimmt er entschlossen Stellung und wendet sich gegen die ständische Ordnung, die Unterdrückung des Niederen durch den Fürsten. Die Entschiedenheit dieser Haltung zeigt sich im Stil seiner Fabeln deutlich. Die Wortwahl läßt keinen Zweifel daran, wie die Herrscher zu beurteilen sind: Despot, Wüterich, Sultan sind die üblichen Bezeichnungen für den Fürsten. Die Sprache ist satirisch; oft geht Pfeffels Ausdrucksweise bis zum Brutalen. Um seine Wut gegen die Unterdrücker auszudrücken, greift er zu den äußersten Möglichkeiten, die der Wortschatz bietet. In diesen Stellen wird das wirksamste Stilmittel Pfeffels deutlich: die sarkastisch-satirische Ausdrucksweise. Er klagt nicht offen an, er nennt nicht die Mißstände in unverhüllter Sprache, sondern er argumentiert verhüllt, gebrochen. Er stellt das Schlechte in seiner vollen Wirklichkeit dar, um es durch die gesteigerte Schilderung als unerträglich zu erweisen. Er verurteilt die Übelstände nicht direkt, er zeigt sie nur in ihrer ganzen Kraßheit. Daß er dabei oft noch humoristisch ist, erhöht die Wirkung. In der von ihm erfundenen Fabel »Das Hermelin und der Jäger« jagt ein Jäger ein Hermelin wegen seines Felles, das er für den Mantel des Herrschers benötigt und antwortet auf die Frage, warum er seine eigene Haut nicht benutze: »Ei, die verhandelt er den Briten.«

Christian August *Fischer* (1771–1829) kann sich an Eleganz des Stils mit Pfeffel nicht vergleichen. Ihm gelingt selten eine künstlerisch durchgeformte Anklage. Er schreibt Prosa und formuliert seine Absicht offen: »Nationen! Provinzen! Die Bedrückung *einer* Stadt, Mißhandlung *eines* Bürgers geht euch alle an!« Seine mangelnde Sprachkraft zeigt sich schon daran, daß er wichtige Wörter durch Schrägdruck hervorhebt, statt sie auf dichterische Weise plastisch werden zu lassen. Er nennt die einzelnen Verhaltensweisen, läßt sie aber nicht wie Pfeffel in Handlung aufgehen. Bedeutend ist er nur, weil er die politisch-zeitkritische Tendenz entschieden verfochten hat. Er bildet in dieser Einseitigkeit der Lehre eine Ausnahme in der Fabelliteratur.

Literatur:

Pfeffel, G. K.: Poetische Versuche in drey Büchern, 1761; nochmals: Fabeln, der Helvetischen Gesellschaft gewidmet, 1783. (Neue Bibliothek der Wissenschaften, Bd. 41); Poetische Versuche in 10 Bdn, 1802–1810.
Poll, M.: Die Fabeln von Gottlieb Conrad Pfeffel und ihre Quellen, in: Straßburger Studien III, 1888, S. 343–471.
König, K.: Der elsässische Fabeldichter Gottlieb Conrad Pfeffel, in: Elsaß-Lothringen XII, 1934, S. 113–116, 156–161, 215–224.
Emmerich, K.: Gottlieb Konrad Pfeffel als Fabeldichter, in: WB 3, 1957, S. 1–46.
Fischer, Chr. A.: Politische Fabeln, 1796.
Teildrucke bei Emmerich, vgl. S. 76.
Stephan, I.: Literarischer Jakobinismus in Deutschland (1789–1806), 1976. (Sammlung Metzler Bd. 150), zur Fabel S. 175 f.

6. Entwicklungszüge im 19. Jahrhundert

Nach der Hochblüte der Fabel zur Zeit des Humanismus war diese Gattung im 17. Jh. literarisch untergegangen; nach der Hochblüte im 18. Jh. verschwindet die Fabel nicht: sie lebt auf einer anderen Stufe weiter. Mit der Empfindsamkeit, dem Sturm und Drang und vollends mit Klassik und Romantik ist ihre große Zeit jedoch vorbei. Als Gebrauchsliteratur wird sie weiter gedruckt, besonders als Lektüre für Kinder.

Fr. Sengle hat in seiner materialreichen Darstellung der ›Biedermeierzeit‹ die Verhältnisse für die Fabel genauer beschrieben. Er weist auf eine starke Verbreitung der Gattung in den ersten Jahrzehnten des 19. Jhs hin, die ihn von einer »Rehabilitation der Fabel« sprechen lassen (S. 128), die Beispiel sei für die »Restauration auf dem Gebiete der literarischen Formen« (S. 129). Als zentrales Begründungsmoment für die »Erneuerung der Fabel« nennt er den »Versuch einer restaurativen Fundamentalerneuerung«, d. h. dargestellt wird »die unentrinnbare Abhängigkeit jeder Kreatur« (S. 135). Dort also, wo die Fabel ihre angestammte Absicht realisiert: den Weltlauf in seiner als notwendig gewußten Weise darzustellen, kann sie auch weiterleben.

Es bleibt Aufgabe empirisch-literatursoziologischer Untersuchungen, die Gründe für diese unterschiedliche Verbreitung der

Gattung und ihre unterschiedliche Stellung innerhalb der literarischen Formen zu analysieren. Die Frage ist, ob und wie eine literarische Struktur mit bestimmten historischen Konstellationen korreliert ist. So könnte man vermuten, daß die Fabel immer dann benutzt wird, wenn starke (r)evolutionäre Tendenzen zu bemerken sind (Reformation, 18. Jh., 1. Hälfte des 19. Jhs) und eine Affinität dieser Gattung zu progressivem Bewußtsein feststellen.

Das 19. Jh. hat eine große Zahl Fabeldichter und -bearbeiter hervorgebracht (vgl. die Auswahl sonst verstreuter Fabeln bei *Kleukens*). Entsprechend dieser Vielzahl ist auch die Erscheinungsweise der Fabel sehr unterschiedlich; sowohl formal als auch inhaltlich lassen sich nur einzelne Tendenzen aufzeigen.

Aus dem 18. Jh. wird die politisch-revolutionäre Tendenz übernommen. Vorbilder sind hier Pfeffel und Fischer. Der Gebrauch der Fabel geht jedoch zurück, dafür tritt bei den politischen Dichtern die direkte, unverhüllte Aussage immer mehr in den Vordergrund. Die Fabel hatte eine gute Möglichkeit geboten, verborgen und für den Eingeweihten doch offen, revolutionäre Gedanken zu verbreiten; diesen Weg hatte das 18. Jh. beschritten. Nach der Revolution jedoch läßt man sich nicht mehr zurückhalten, man bringt die Angriffe offen vor. *Lichtwer* noch hatte in seinem Gedicht »Die geraubte Fabel« den Gebrauch der Verkleidung verteidigt:

> »Man geb ihr ihre Kleider wieder,
> Wer kann die Wahrheit nackend sehn!« (DNL 73, S. 13)

Jetzt versucht man, nüchterner geworden, auf diese spielerische Umhüllung zu verzichten. Damit ist für die Fabel ein Hauptgrund ihrer Existenz: den politischen Willen der Untertanen zu gestalten, weggefallen (vgl. jetzt aber Fr. Sengle, S. 128ff.).

Neben dieser im Vergleich zum 18. Jh. schwächer werdenden Kritik der Fabel an den Zuständen des Staates ist immer noch die satirische Betrachtung menschlicher Schwächen ein beliebtes Thema. Die große Dichtung hat jedoch bald andere Formen gefunden, ebendiese Anliegen mitzugestalten: Drama und Roman übernehmen im 19. Jh. auf dem Gebiet der Kritik gesellschaftlicher Verhaltensweisen die Führung.

Die Fabel blüht eigentlich nur noch auf einem Gebiet: dem der Vermittlung einfacher moralischer Sätze und bestimmter Maximen der Lebensklugheit. Hatte sie früher aber hiermit den Erwachsenen angesprochen, so wendet sie sich jetzt ebenso ausschließlich an das Kind und den Jugendlichen: die großen Pädagogen hatten schon immer den Gebrauch der Fabel in der Schule aus den verschiedensten Gründen empfohlen (etwa *Comenius*); jetzt dichtet man speziell dem kindlichen Verständnis angepaßte Fabeln. *Pestalozzi* ist mit Neubildungen in Prosa vorangegangen, Wilhelm *Hey* bearbeitet »Fabeln für Kinder«. Daß man für Kinder schreibt, zeigt sich am deutlichsten im sprachlichen Bereich: man ahmt die Kindersprache nach.

An dieser sprachlichen Erscheinung wird ein hervorragender Entwicklungszug in der formalen Sphäre deutlich: das Vordringen von Sondersprachen und Dialekten. Die Vereinzelung des Dichters, die Zersplitterung in der Einheitlichkeit der formalen Erscheinung, nimmt – nachdem die Fabel nicht mehr zu den großen Dichtungsgattungen zählt – zu: bei *Kleukens* dringt die Kindersprache als Stilmittel ein, bei *Schröder* und *Falke* ist es die niederdeutsche Mundart; bei anderen Dichtern sind es andere Dialekte: man wendet sich von vornherein nicht mehr an das ganze literarische Publikum. Man denkt nur an einen kleinen Kreis, eben den, der die eigene Mundart spricht oder eine besondere Vorliebe für sie hat. Von hierher mag auch die wichtige Bemerkung Fr. Th. Vischers mitzubegründen sein, daß die Fabel »im besten Sinn ein Stück rechter Bauernpoesie« sei (vgl. Sengle, S. 130).

Ein wichtiges Kennzeichen der Fabel des 19. Jhs ist, daß die alten Motive nicht mehr erneuert werden. Fast alle Schriftsteller prägen neue Situationen, neue Gestalten; auf den alten Typenkatalog verzichtet man weitgehend. Durch diese Erfindung neuer Motive tritt die Tierfabel dadurch in den Hintergrund, daß nunmehr auf das ganze Reich der Natur und auch auf künstliche Gegenstände zurückgegriffen wird: bei *Krummacher* reden der Rhein und ein Bach, bei *Kühn* wird ein Bleistift zum handelnden Wesen. A. E. *Fröhlich* wird bes. deshalb als »Reformator der Fabel« bezeichnet, weil er »Beobachtung der Natur« zugrunde lege (etwas, was schon Bodmer gefordert hatte, vgl. S. 5 dieses Bandes), weil seine Erzählungen »aus der unmittelbaren Naturanschauung hervorgegangen« seien (Sengle, S. 134).

Daß neben dieser mehr pathetischen Form – denn die angeführten Fabeln sind durchaus ernst gemeint– auch humoristische Tendenzen (auf lyrische weist Sengle, S. 133, hin) zu beobachten sind, zeigt sich an O. J. *Bierbaum*. Der dichtet fabelartige, humorvolle Erzählungen. Nicht nur in der weiten Differenzierung der angestrebten Lehre zeigt sich im 19. Jh. die Mannigfaltigkeit der Fabel; auch die formalen und stilistischen Erscheinungsweisen deuten auf die Dehnbarkeit der Form hin.

Literatur:

Meissner, A. G.: Hundert äsopische Fabeln für die Jugend, 1791.

Pestalozzi, J. H.: Fabeln, ²1803; Figuren aus meinem ABC Buch, 1797; in: Werke, Hrsg. P. Baumgartner 1946, Bd. 5, S. 80–345; dazu: *Haller*, A.: Pestalozzis Fabeln, in: Die Ernte 22, 1941, S. 152–166. (Schweizer Jahrbuch).

Campe, J. H.: Bilder Abeze. In 23 Fabeln [. . .] 1806, 1975.

Krummacher, Fr. A.: Parabeln, 3 Bde, 1805; Die Kinderwelt, 1809; Apologien und Paramythien, 1809.

Müchler, K. Fr.: Epigramme, Fabeln [. . .] 1808.

Knieschek, Fr. X.: Fabeln und Erzählungen zur Bildung des Verstandes und Besserung des Herzens. Ein Handbuch für Lehrende u. Lernende, Prag 1818.

Haug, J. Chr. Fr.: 200 Fabeln, 1823; Fabeln für Jung und Alt, 1828.

Fröhlich, A. E.: Hundert neue Fabeln, 1825 (²1829 um 70 Motive vermehrt); Fabeln, 1853.

Grimm, A. L.: Fabel-Bibliothek für Kinder, 1827.

Schopenhauer, A.: Gleichnisse, Parabeln, Fabeln, in: Parerga und Paralipomena II, Kap. 31, § 379–396; abgedruckt in: Sämtl. Werke, hrsg. von v. Löhneysen, Bd. V, 1965, S. 758–773.

Hey, W.: Fünfzig Fabeln für Kinder, in Bildern gezeichnet von O. Speckter 1833; Noch fünfzig Fabeln, 1837.

Grillparzer, Fr.: Fabeln und Parabeln in Prosa, in: Sämtl. Werke 4 Bde, hrsg. v. P. Franz u. K. Pörnbacher, Bd. 3, 1963, S. 111–116.

Rückert, Fr.: Weisheit des Brahmanen, 1836/39; ⁹1875; Gedichte, 1782.

Hoffmann, Fr.: Neueste Fabeln [. . .] für die Jugend, 1850.

Langbein, A. Fr.: Sämtliche Gedichte, 4 Bde, 1854 (Fabeln erschienen ab 1788).

Fechner, G. Th.: Nanna. Seelenleben der Pflanzen, 1848.

Fröhlich, K.: Fabeln und Erzählungen, 1854.

Seidel, H.: Gesammelte Schriften, 20 Bde, 1889–1907.

Doyé, A.: Neue Original-Fabeln, 1856.

Axt, K. A. M.: Gedichte, 1856/57.

Pfarrius, G.: Natur und Menschenleben, 1869.

Sturm, J.: Spiegel der Zeit in Fabeln, 1872.

Weddigen, O.: Fabeln und Parabeln, ⁴1891.

Anonymus: Märchenbuch für die Kinder des Proletariats, 1893 (darin proletarische Fabeln).

Hermann, G.: Moderne Tierfabeln, in: Das literarische Echo 4, 1901/02, Sp. 14–18 (Rezensionen).

Sammlung sonst verstreuter Fabeln u. a. von Kleist und Schopenhauer, auch der im Text erwähnten Dichter, in:

Das Buch der Fabeln, hrsg. von Chr. H. Kleukens, 1913.

Sengle, Fr.: Biedermeierzeit. Bd II: Formenwelt, 1972, S. 128–138.

7. Erscheinungsweisen im 20. Jahrhundert

Die jüngste Vergangenheit ist relativ arm an neuer Fabelliteratur; die Fabeln führen ein museales Dasein: neue werden kaum mehr gedichtet, die alten wohl noch gedruckt und gelesen, aber hauptsächlich von Kindern. Die Fabel hat ausgedient, ihre typische Rolle als Vermittlerin von moralischen Lehren oder Lebensweisheit ist vorbei.

Daß auch im 20. Jh. noch Fabeln gedichtet werden, zeigen Namen wie *Kleukens, Etzel, Hoernle*, Fr. *Wolf, Schnurre, Arntzen, Branstner*. Hier stehen genauere Untersuchungen zur Einschätzung dieser Produktionen noch aus.

Die These vom Tod der Fabel hat *Wilke* (1971), nach ihm *Weinrich* (1973) vertreten. Sein Verdienst besteht überhaupt darin, die Entwicklung der Gattung unter geschichtstheoretischem Aspekt zu sehen. Was Wilke als Gründe für die »Verhinderung der Fabel« nennt: daß »die Individualität historischer Fakten und die Bestandheit tierischer Charaktere sich ausschließen«, kann man allerdings nicht akzeptieren. Das Individuelle war nie Thema der Gattung. Ihr ging es immer ums Allgemeine, Typische: um die konkrete Abbildung gesellschaftlicher Strukturen. Von hierher wäre sie weiter benutzbar gewesen; auch dort, wo sie weiterhin sich bei lebensklugen Prinzipien bescheidet, bleibt sie schreibbar (dazu *Branstner*).

Fr. *Sengle*, der einmal eine »Rehabilitation der Fabel« beschreibt, sieht auch eine »Verfallserscheinung«, begründet sie aber wieder anders. Für ihn besteht das Schlechte in dem »parteigebundenen, d. h. partikularen« Gebrauch, der die »universaldidaktische Form problematisch« mache. Der »Verlust an Universalität« sei das Tötende, z. B. auch beim »Absinken der Fabel zu einer speziell pädagogischen Gattung« (137). Hinter seiner Beschreibung steht also ein an der klassischen Form von Dichtung gewonnener Maßstab, mit dem die Fabel freilich schon immer ihre Schwierigkeiten hatte.

Die Fabel scheitert, weil der Widerspruch in ihrem zentralen Strukturierungsmoment erkannt ist. Der Bildbereich ist die statische Natur, der Symbolbereich aber die dynamische, sich ändernde Geschichte. Durch die praktische Kritik des Bürgertums am Adel – es löst ihn in seiner führenden Position ab – wird ad oculos bewiesen, daß die anthropologisierende Grundannahme der Fabel: der Welt Lauf sei nicht zu ändern, versagt. Deshalb ist sie seit dem 19. Jh. wenn nicht tot, so doch nur in variierten Formen denkbar.

Der ›Tod der Fabel‹ besteht darin, daß sie den Bildbereich:

Natur, beibehalten muß, aber ihre argumentierende Kraft nicht mehr aus der Gleichsetzung von Natur und Gesellschaft ziehen kann, weil die Natur als beherrschbar, veränderbar erkannt wurde. Die Notwendigkeit des Ereignisablaufs, die durch den Bildbereich suggeriert werden sollte, ist durch die geänderten gesellschaftlichen Verhältnisse erschüttert. Das bewirkt, daß die Gattung nicht mehr als geltende, führende leben kann.

Auf dem literarischen Markt erscheint dafür Tierliteratur der verschiedensten Art; sie bedeutet in gewisser Weise einen Ersatz für die alte Fabel, zumindest was ihre psychologisch faßbare Funktion angeht: sie befriedigt den Wunsch des Leserpublikums nach einer Literaturgattung, in der Tiere eine bedeutende Rolle spielen.

Unter dieser modernen Tierliteratur lassen sich drei Typen unterscheiden, die in bestimmter Weise als Variationen, als neue, der Zeit angepaßte Erscheinungsweisen der alten Fabel zu fassen sind:

Einmal ist die mehr oder weniger wissenschaftliche Beschreibung des Lebens der Tiere zu nennen. Typisch für diese Gruppe ist *Brehms* »Tierleben«. Hier sind Tiere vorhanden und ein Zweck wird verfolgt: Belehrung, Vermittlung von naturwissenschaftlichem Wissen. Dieser Zweck wäre durchaus mit der alten Fabel zu vereinigen. Denn die Fabel als Form ist gegen die Tendenz labil. Der wissenschaftliche Bericht als solcher läßt sich jedoch nicht mit der Fabel vereinbaren. Hier wird das Tier in seiner Eigenart, losgelöst von allem Menschlichen, gefaßt. Die alte Fabel legt an die Tier die – nur für den Menschen geltende – Kategorie des ›gut und böse‹ an; der moderne populäre Tierbericht dagegen vermeidet diese Anthropomorphisierung. Die Belehrung ist als Grundschema noch vorhanden, nicht aber die fabulose Vermenschlichung eines nichtmenschlichen Bereiches der Wirklichkeit.

Analog verhält es sich mit dem zweiten Typ der modernen Tierliteratur, der das Wunderbare, Spannende betont. In Deutschland Vorbild geworden sind hier das »Dschungelbuch« von Rudyard *Kipling* und die Geschichten von E. *Seton-Thompson*. Eine Tendenz tritt allerdings weitgehend zurück; die Absicht des Autors besteht in der Unterhaltung, nebenbei vermittelt er auch populäres Wissen. Wenn Brehm auf die Belehrung Wert legt, also den zweiten »Bestandteil« der alten Fabel betont, dann heben Kipling und seine Nachfolger das Wunderbare, Abenteuerhafte, also den ersten Teil der traditionellen Fabel hervor.

Unter diesem Gesichtspunkt könnte man die populär-wissenschaftliche Beschreibung des Tierlebens und den Tierabenteuerroman als moderne Variationen der Fabel auffassen. Zwischen diesen beiden Polen bewegt sich als dritter Typ die Tiererzählung, wie sie Hermann *Löns* oder Manfred *Kyber* repräsentiert. Auf der einen Seite pendelt sie zum Abenteuerlichen, Wunderbaren, auf der anderen zur mehr beschreibend-belehrenden Literatur im Stile Brehms.

Über die Frage, ob man diese Formen der Literatur noch mit ›Fabel‹ bezeichnen soll, hat man verschiedene Ansichten geäußert. *Whitesell* meint, daß die Fabel »has migrated to the movies [. . .] more recently in a burst of color and glory in the new beast epics, Mickey Mouse and Donald Duck« (S. 358). Er glaubt also, daß die Fabel heute im Film abgewandelt erscheint. *Spoerri* stimmt ihm zu, entsprechend seiner Ansicht von der Fabel als einer Rebellion des Untertans gegen den Herrscher: »Der moderne Mickey-Mouse-Film ist die neueste Variante des uralten Motivs von der Überlegenheit des Unterdrückten« (S. 32). Spoerri sieht von jeder formalen Eigenschaft ab. Er betrachtet nur die grundlegende Tendenz und kann daher leicht in den ›Comic strips‹ von Mickey Mouse eine moderne Erscheinungsform der Fabel sehen. Pointiert gegen Spoerri hat sich der Altphilologe *Meuli* gewandt. Mehr romantisierend argumentiert er, daß die Filme und Bildgeschichten »mit der echten Fabel so wenig zu tun (haben), wie Mickey Mouse mit einem Geschöpf der Natur« (S. 5, Anm. 1). Die Frage, die diskutiert wird, ist also, ob man eine abgeschlossene Erzählung Brehms oder einen Mickey-Mouse-Film als Fabel bezeichnen kann (besser: soll) im Sinne der traditionellen von ›Aesop‹ bestimmten Form. Heuristisch ist es nicht sinnvoll, es würde eine unbrauchbare Überdehnung des Begriffs bewirken. Das Wort Fabel muß in seiner Anwendung auf die enge Form beschränkt werden. Rein theoretisch bleibt die Frage, wie das typisch Fabulose in diesen modernen Typen der Literatur und Kunst erscheint. Die Frage wird offenbleiben, d. h. das Problem der Wandelbarkeit der Form löst sich je nach Gesichtspunkt: betrachtet man mehr die formale Erscheinungsweise, wird man dahin tendieren, die Einheit von modernem Tierfilm oder moderner Tiererzählung mit der Fabel abzulehnen. Nimmt man »das inner Anliegen« der Fabel, also ihren Zweck, als Kriterium der Entscheidung, kann man je nachdem, wie man dieses Anliegen definieren will, in den Geschöpfen von Walt Disney ein Fortleben der alten Fabeltiere des Aesop sehen. Wieder einmal zeigt sich, daß jedes Urteil einen Maßstab benötigt und daß je nach Wahl des Maßstabs das Urteil anders ausfällt. Jede Aussage über etwas Gattungshaftes hat nur Sinn, wenn man die Voraussetzung, die diese Aussage erst möglich macht, mit angibt. Oder: zur Feststellung der Gattung gehört als Korrelat die Angabe des Besonderen, welches betrachtet und der Perspektive, unter der betrachtet wird.

Rein deskriptiv läßt sich folgendes feststellen:

1. In der modernen Tierliteratur erscheint wie in der alten Fabel das Tier als wichtiges Requisit, entweder als Gegenstand der Beschreibung oder als Partner des Menschen oder als anthropomorphisiertes Wesen.

2. Die moderne Tierliteratur vermittelt Wissen und will unterhalten. Beides war auch Aufgabe der alten Fabel. Die Art des vermittelten Wissens hat sich jedoch gewandelt: die alte Fabel beschäftigt sich mit humanen, auf den Menschen bezogenen Fragen. Sie sah die Welt vom Menschen aus. Die neue (populärwissenschaftliche) Tierliteratur betrachtet das Tier in seiner eigenständigen Seinsweise und vermittelt nicht mit dem Menschen zusammenhängende Belehrung: die alte Fabel war ethisch im weitesten Sinn; die moderne Tierliteratur ist ethisch neutral.

Unter diesen Voraussetzungen läßt sich sagen, daß die Tiergeschichte im literarischen Bewußtsein des Lesers vielleicht die Stelle der Fabel ausfüllt. Diese Funktion genügt aber nicht, um sie als Variation der Fabel auffassen zu können. Auch einzelne gleiche Züge (vermenschlichte Tiere) reichen dazu nicht hin. Mit den Tiererzählungen ist eine ganz neue Gattung entstanden, die nur gewisse Züge mit der Fabel teilt, so wie die Fabel Stilzüge mit anderen literarischen Gattungen gemein hat.

Eine zu untersuchende Frage bleibt noch, ob in Dichtungen wie Franz *Kafkas* »Die Verwandlung« oder »Kleine Fabel« fabulose Züge vorhanden sind. Von einer Fabel wird man nach den Untersuchungen Emrichs u. a. nicht reden können. Gegenüber der tradierten Form fehlt die eindeutige Tendenzhaftigkeit und – damit verbunden – entsteht eine gewisse Schwierigkeit des Verständnisses, die der Fabel abgeht.

Literatur:

a) Texte

Brehms illustriertes Tierleben, ³1890–1893.
Kipling, R.: Das Dschungelbuch, London 1898.
Seton-Thompson, E.: Bingo und andere Tiergeschichten, 1900; Jochen Bär, 1909; Domino Reinhard, 1924.
van Oesteren: Wir, 1901.
Stempflinger, E.: Horaz in Lederhosen, 1905, ³1925.
Etzel, Th.: Der Rohrspatz, 1907; Fabeln, 1923.
Löns, H.: Mümmelmann, 1909.

Kyber, M.: Unter Tieren, 1912; Bd 2, 1926.

Bonsels, W.: Die Biene Maya und ihre Abenteuer, 1912.

Hoernle, E.: Die Oculi-Fabeln, 1920.

Kühn, Fr.: Fabeln und lustige Tiergeschichten, 1925.

Kleukens, Chr. H.: Fabeln, 1938.

Kirsten, R.: Getarnte Wahrheit, 1947; Hundertfünf Fabeln, 1960.

Hohenlocher, K.: Wenn Tiere reden, Wien 1950.

Risse, H.: Belohne dich selbst. Fabeln, 1954.

Schnurre, W.: Protest im Parterre, 1957; Liebe, böse Welt. Fabeln, 1957;
Der Spatz in der Hand, 1971.

Wolf, Fr.: Fabeln, ²1958.

Ebner-Eschenbach, M. *von*: Gesammelte Werke, darin Parabeln u. Märchen, 1959.

Arntzen, H.: Kurzer Prozeß. Aphorismen und Fabeln, 1966.

Thurber, J.: 75 Fabeln für Zeitgenossen, 1967.

Anders, G.: Der Blick vom Turm. Fabeln mit Bildern von A. Paul Weber,
1968.

Branstner, G.: Der Esel als Amtmann oder Das Tier ist auch nur ein
Mensch, 1977, 1979.

b) Sammlungen:

Ziehen, J.: Fabelbuch, 1900.

Etzel, Th.: Fabeln und Parabeln der Weltliteratur, gesammelt und mit
literar-histor. Einführungen, [1907].

Reuper, J.: Im Reiche des Löwen. Klassische Tierfabeln aus aller Welt,
1909.

Das Buch der Fabeln. Zusammengestellt v. Chr. H. Kleukens, eingeleitet
v. O. Crusius, 1913.

Carlsson, A.: Fabeln der Völker aus drei Jahrtausenden, 1959.

Mudrak, E.: Das große Buch der Fabeln, mit 47 alten Holzschn. ²1962.

Ebner-Eschenhayn, G.: Fabeln und Parabeln von Äsop bis Brecht, 1961.

Alverdes, P. (Hrsg.): Rabe, Fuchs und Löwe. Fabeln der Welt, 1962.

Das große Fabelbuch, neu bearb. v. K. Recheis, 1965.

Winter, K., u. *Bischoff*, H.: Fabeln aus aller Welt, 1965.

Carstensen, J.: Meister der Tiergeschichte, 1966.

Dithmar, R.: Fabeln, Parabeln und Gleichnisse, 1970.

c) Bibliographien:

Walzel, O.: Neue Dichtung vom Tiere, in: Ztschr. für Bücherfreunde, NF
10, 1918/19, S. 53–58.

Zeuch, J.: Die moderne Tierdichtung, Diss. Gießen 1924.

Beck, J.: Tiergeschichten und Tierbücher, in: *Fikenscher/Prestel*, Jugend
und schönes Schrifttum, 1925.

Münzer, K.: Tiergeschichten, in: Handbücherei der dt. Dichter-Gedächt-
nis-Stiftung, 1926.

Schulz, K.: Tiererzählungen, ²1930.

Tierbuch-Bibliographie, in: Arche Noah 2, 1950, S. 462f.

Metzker, O.: Die wertvolle und die minderwertige Tiergeschichte, in: DU 9, 1957, S. 33–50 (121 besprochene Titel).

Klassische Jugendbücher II (Tierbücher), in: Die Welt der Bücher. Literarische Beihefte zur Herder-Korrespondenz 8, 1957, S. 425 bis 435.

d) Untersuchungen:

Gotzes, H.: Die Tiersage in der Dichtung, in: Frankfurter zeitgemäße Broschüren, NF 26, 1906, S. 311–358.

Braun, F.: ˙Hermann Löns and the modern German animal tale, in: Monatshefte für den dt. Unterricht 45, 1913, S. 76–80.

Credner, U.: Tiergeschichten, in: Eckart 8, 1913/14, S. 673–676.

Feltes, J.: Über Tierdichtung, Luxemburg 1918.

Kühlborn, W.: Tierdichtung, in: Ztschr. für Deutschkunde 38, 1924, S. 424–428.

Ders.: Tierdichtung, in: RL III, 1928/29, S. 360–370.

Hofmiller, J.: Über Tiere und Tierdichtung, in: Die Besinnung 4, 1930, S. 97–107.

Kapher, E. *von*: Die moderne Tiergeschichte und der Tierschriftsteller von heute, in: Westermanns Monatshefte Bd 147, 1; 1930, S. 489 bis 492.

Häusl, E.: Die deutsche Tiergeschichte des letzten Menschenalters, Diss. Wien 1932 (113 abgehandelte Titel).

Franke, E.: Gestaltungen der Tierdichtung, Diss. Bonn 1934 (43 Titel).

Popper, G.: Der neue deutsche Tierroman, Diss. Wien 1934 (34 Titel).

Glupe, A.: Der deutsche Tierroman als literarische Erscheinung und als literarischer Begriff, in: Hellweg 4, 1924, S. 526–530; Außerpersönliches, Innerpersönliches und Überpersönliches in der Tiergeschichte, in: Freie Welt 14, 1935, S. 140–150; Wie sind Tiergeschichten möglich, in: Freie Welt 15, 1935, S. 359; Die theoretische Biologie von der Tierdichtung aus gesehen, in: Freie Welt 17, 1936, S. 118–131.

Goldemann, E.: Das Schicksal des Tieres in der Literatur, in: Die Literatur 37, 1935, S. 198–201.

Nell, H.: Die gestaltenden Kräfte in der neuen deutschen Tierdichtung, Diss. München 1937.

Starkloff, E.: Der biologische Standpunkt. Betrachtungen zur Tierdichtung unserer Zeit, in: Die Literatur 40, 1938, S. 335–338.

Pfeil, K. G.: Das Tier in der neueren Dichtung, in: Deutscher Kulturwart, Februar-Heft, 1939, S. 2–9.

Eggert, G.: Die Tierfabel als politisches Instrument, in: Geist der Zeit. Wesen u. Gestalt der Völker XIX, 1941, S. 634–643.

Beer, R. R.: ›Einhorn‹-Fabelwelt und Wirklichkeit, 1972.

Leibfried, E.: Analyse eines kurzen Kafkaschen Textes [Kleine Fabel], in: GRM 25, 1975, S. 468–473.

In den mittelalterlichen Klosterschulen lernte man an den Fabeln
Latein; später schrieb man aus pädagogischer Intention Fabeln für
Kinder (z.B. Pestalozzi, W. Hey). Heute ist diese Textsorte dabei,
im Unterricht eine Renaissance zu erleben. Ein Grund dieser
Wiederbeachtung ist das geschärfte Bewußtsein für den Zusammenhang von Text und Wirklichkeit (Gesellschaft). Wie am Beispiel Steinhöwels (S. 40), Luthers (S. 41) und Lessings (S. 77f.)
angedeutet wurde, läßt sich an der Fabel besonders gut die stabili-
sierende oder progressive Haltung gegenüber gesellschaftlichen
Zuständen ablesen. Dabei ist die Erfassung der expliziten Kritik
(bei Alberus etwa des Katholizismus, bei Pfeffel der politischen
Verhältnisse des späten 18. Jhs) zu trennen von der schwierigeren
Beschreibung der auch bei nicht politischen Fabeln jeweils impli-
zierten, in zweiter Reflexion zu analysierenden Ideologeme: Pfeffel
übernimmt in seinem Kampf gegen den Feudalismus selbst wieder
zu kritisierende Normen des entstehenden Liberalismus. Der Text
ist also aus seiner Zeit zu beurteilen wie auch vom heute erreichten
Bewußtseinsstand aus. Luther etwa beschreibt zwar ›der Welt
Lauff‹ als einen verbissenen Kampf um Privilegien: er weist aber
nicht auf die Notwendigkeit von Solidarität hin; er läßt die bestehenden politischen Zustände als gottgewollt stehen. Der Landesva-
ter ist der von oben eingesetzte notwendige Herrscher, der die
Masse des Volkes führen muß. Die Freiheit des Christenmenschen
besteht darin, sich in seiner Innerlichkeit fürs Jenseits vorzube-
reiten.
Die Fabel hat didaktisch-methodisch gesehen den gedoppelten
Vorteil: kurz und überschaubar zu sein und das wirklichkeitsrele-
vante, ideologische Moment auch dort, wo sie unpolitisch zu sein
scheint, einer Analyse leichter zu zeigen als andere Texte. Sie ist
daher zur Einübung der ideologieanalytischen Methode der
Betrachtung besonders geeignet.
Sie kann nicht nur im Curriculum der Primarstufe erscheinen,
sondern auch in der Sekundarstufe II noch sinnvoll Gegenstand
sein: dann müßten etwa historische Dokumente, die eine Erhellung
der sozio-ökonomischen Verhältnisse der Zeit gestatten, einbezogen werden. Der pure formalästhetische Vergleich mehrerer Bearbeitungen des gleichen Motivs (wie er z.B. als Thema des Zentral-
abiturs in Baden-Württemberg erschien) bleibt solage unbefriedigend, wie die Variation nicht auf dem Hintergrund gesellschaftlicher Entwicklungen betrachtet wird. Das ästhetische Gebilde
gehört als Werk des Menschen mit zu dessen Versuchen, Welt aufs

Bessere hin zu verändern. Die Spuren dieser Auseinandersetzung mit natürlichen und gesellschaftlichen Widerständen sind durch die kritische Analyse herauszuarbeiten.

Literatur:

Zur Problematik der Verwendung der Fabel in der Schule vgl. man außer Lessings 5. Abhandlung und den entsprechenden Abschnitten in den Deutschmethodiken:

Kubach, E.: Die Fabel und ihre Verwendung im Unterricht, 1902.
Lehmann, W. R.: Fabel und Parabel als literarisches Bildungsgut, in: Pädagog. Rundschau, 15, 1961, S. 696–707.
Stern, L.: Die Sprachgestalt an sechs Fabeln dargestellt, 1929.
Bender, E.: Lessing – Der Hamster und die Ameisen. Zur Behandlung in Sexta, in: DU 5, 1955.
Schäfer, W.: Die Fabel im Dienste der Sprecherziehung, in: DU 5, 1955.
Thiele, H.: Lehrhafte Dichtung in der Schule, in: DU 1, 1964.
Doderer, Kl.: Didaktische Überlegungen zur Fabel und Kurzgeschichte, in: Literarische Erziehung in der Grund- und Hauptschule, 1965.
Eschbach, M.: Die Fabel im modernen Deutschunterricht, 1967.
Dithmar, R.: Die Fabel. Geschichte. Struktur. Didaktik, 1971 (UTB 73).
Kreis, R.: Fabel und Tiergleichnis, in: Projekt Deutschunterricht 1, hrsg. von H. Ide, 1971, ⁵1976, S. 57–103; Die Fabel im DU des 6. Schuljahres. Von der histor-soziolog. Analyse bis zur eigenen Gestaltung, in: Diskussion Deutsch 4, 1971, S. 115–130.
Koch, R.: Theoriebildung und Lernzielentwicklung in der Literaturdidaktik. Ein Entwurf gegenstandsorientierter Lernzielentwicklung am Beispiel der Fabel, 1973.
Poser, Th.: Fabeln. Arbeitstexte f. den Unterricht, 1975.
Hudde, H.: J. Préverts Fabelparodie ›Le Chat et l'Oiseau‹. Über den »besonderen Nutzen der Fabeln in den Schulen«, in: Literatur in Wissenschaft und Unterricht 9, 1976, S. 244–256.
Payrhuber, Fr. J.: Wege zur Fabel, 1978.
Leibfried, E.: Fabel. Themen. Texte. Interpretationen, 1982.

Wenn man der Meinung ist, daß die Literaturwissenschaft seit der Mitte der sechziger Jahre mit Recht einen Paradigmawechsel vollzog, dann stellen sich die Aufgaben für die weiterhin auch im Bereich der Gattung ›Fabel‹ nötige Forschung z. T. anders. Etwa wäre auf der Basis positivistischer Vorarbeiten und Materialnachweise dem Problem nachzugehen, wie die Variationen traditioneller Motive sozialgeschichtlich/ideologiekritisch interpretiert werden können, auch wie gesamtgesellschaftliche Verhältnisse in Übersetzungen eingehen (was bei Steinhöwel, der lange Pro- und Epimythien schreibt, bes. deutlich ist). Ein solcher Versuch einer Rekonstruktion der Gattungsgeschichte könnte etwa als Thesen, die zu verifizieren, modifizieren, falsifizieren wären, ansetzen:

– mit dem klassischen Philologen Meuli u. a. kann man davon ausgehen, daß der ›Sitz im Leben‹, um diesen Terminus aus der theologischen Exegese zu übernehmen – er meint, daß jede literarische Gattung aus einer ganz konkreten historischen Situation entstanden ist, deren Spuren sie noch zeigt (vg. Kl Koch, Was ist Formgeschichte? 1964) – die Situation der Unterprivilegierten, Unterdrückten, Sklaven in der antiken Gesellschaft war. Die Fabel hat, das belegen auch ihre orientalischen Vertreter, ein kritisches Potential, eine revolutionäre Wirkabsicht.

– die Fabel erfährt jedoch eine reaktionäre Indienstnahme (eines der ersten Beispiele: Menenius Agrippa, Vom Magen und den Gliedern), die sich im deutschen Sprachraum durch zwei Kategorien genauer fassen läßt: Christianisierung und Anthropologisierung. In den Mittelpunkt gestellt wird die als unveränderbar gedachte condition humaine, die darin bestehe, notwendiges Leid zu erdulden (und auf eine transmundane Erlösung zu hoffen). Bestimmte Konstanten (Geburt, Krankheit, Tod) werden als die zentralen erfahren, die jegliche verbessernde Änderung scheitern lassen. Daß der Zustand der jeweiligen Gesellschaft, die durch Herrschaft bedingte ungleiche Verteilung der erarbeiteten Güter, ein wesentliches Moment der menschlichen Verfassung ist, reflektiert diese christianisierte, anthropologisierte Fabel in den Figuren, an denen ›der Welt Lauff‹ (Luther) demonstriert wird: dem Esel, dem Schaf. Das ursprünglich kritisch notwendige Moment der Anthropomorphisierung – als Verkleidung der wahren Absicht, als Ausdruck verdeckter Redeweise – erfährt unter dem Einfluß der christlichen Ehtik eine Anthropologisierung und damit eine Wendung gegen die Geschichte. Mit dem Hinweis auf das als unveränderbar gedachte Wesen des Menschen (das später Anthropologie als Wissenschaft bestimmt) wird jeder Wunsch auf Verbesserung mundaner Verhältnisse verboten.

– die Fabel wird bis ins 18. Jh. zur affirmativen Sozialisation benutzt. Die These von der kritischen Gattung (bei Dithmar, Kreis) überträgt antike Muster unberechtigt in den deutschen Sprachraum. Die Fabel war als herrschende Gattung auch Ausdruck der herrschenden Ideen.

– die konservative Argumentation der Fabel zieht ihre Kraft aus dem zentralen gattungstheoretischen Moment: daß die Natur als Bildspender dient. Über die (ideologische) Gleichsetzung von tatsächlich änderbarer Natur mit der Gesellschaft wird die Nichtänderbarkeit der letzteren behauptet.

– die Fabel ist aber – z. T. gegen die Absicht ihrer Verfasser – getreuer Berichterstatter der tatsächlichen Verhältnisse: indem sie rebellisches, unzufriedenes Verhalten als falsch darstellt und zur Duldung der Verhältnisse auffordert, bildet sie die Wirklichkeit auch richtig: als nichtharmonische, konfliktvolle, ab. Diese Abbildung beider Seiten ist das Wahre im Falschen.

– erst im 18. Jh. stellt die Fabel sich (in einzelnen Exemplaren, bei einzelnen Autoren) auf die Seite der Unterdrückten. Sie säkularisiert sich, löst sich von ihrer theologischen Bevormundung und artikuliert das Interesse des Menschen an der mundanen Realisierung humaner Verhältnisse. Die Kategorie der Anthropologisierung wird durch geschichtstheoretische Hypothesen ersetzt.

– diese kritische Verwendung bleibt aber nur Episode in ihrer Geschichte; die pädagogische Indienstnahme im 19. Jh. läßt die Fabel wieder zum Mittel affirmativer Sozialisation werden.

– im 20. Jh. wird die Fabel, bzw. das, was von ihr überlebt (die Kenntnis bestimmter Tiereigenschaften: daß der Wolf gefräßig sei; vgl. Enzensberger, Verteidigung der Wölfe, 1957), wieder kritisch aktualisiert (bei Hoernle, Fr. Wolf sozialistisch, bei Arntzen humanistisch-bürgerlich).

Diese Hinweise zur Geschichtstheorie der Gattung deuten ein allgemeines Desiderat literaturwissenschaftlicher Forschung an. Beim gegenwärtigen Diskussionsstand in der Literaturwissenschaft muß die Fabel gelesen werden als Reproduktion des geschichtlichen Prozesses aus ganz bestimmten Positionen, die politologisch gesehen konträr sind. Die Fabel trägt die Fahne der Revolution, sie steht zugleich aber auch auf der anderen Seite der Barrikade. Diese Deduktion aus der gesamtgesellschaftlichen Konstellation ist bei der Fabel insofern nicht dem Vorwurf, sie verkenne den autonomen Charakter ästhetischer Texte, ausgesetzt, als diese Gattung schon immer am »Grenzrain von Poesie und Moral« (Lessing) angesiedelt wurde: die praktische Absicht auf unmittelbare Wirkung in der Alltagswelt gehört zu den zentralen Momenten der Form. Das erklärt ihre starke Verbreitung im 16. und 18. Jh., wo die Fabel jeweils von bestimmten aktivistischen Positionen – den religiösen Reformern und dem aufstrebenden Bürgertum – aktualisiert wurde. Die Fabel ist die antiautonome literarische Gattung.

(Autoren der Sekundärliteratur, Herausgeber et al. kursiv)

SAMMLUNG METZLER

J.B. METZLER